Além do Nana Nenê

Além do

Como iniciar o aprendizado e a disciplina

Nana Nenê

a partir dos seis meses de vida do bebê.

Traduzido por Susana Klassen

Editora Mundo Cristão
São Paulo

Além do nana nenê
Categoria: Comportamento/Família

Publicado originalmente por Growing Families International,
Mt. Pleasant, Michigan, EUA.

Editora responsável: Silvia Justino
Revisão de tradução: Omar de Souza
Revisão de provas: Aldo Menezes e Theófilo Vieira
Supervisão de produção: Lilian Melo
Capa: Silvia Ribeiro

Dados Internacionais de Catalogação na Publicação (CIP)
(Câmara Brasileira do Livro, SP, Brasil)

Ezzo, Gary

Além do nana nenê: como iniciar o aprendizado e a disciplina a partir dos seis meses de vida do bebê / Gary Ezzo e Robert Bucknam; traduzido por Susana Klassen. — São Paulo: Mundo Cristão, 2007.

Título original: On becoming babywise book two.

ISBN 978-85-7325-463-1

1. Crianças 2. Crianças — Criação 3. Crianças — Cuidados 4. Crianças — Desenvolvimento 5. Pais e filhos I. Bucknam, Robert. II. Título.

06-9269 CDD-649.122

Índice para catálogo sistemático:
1. Crianças: Aprendizado e disciplina: Educação doméstica 649.122

Publicado no Brasil com a devida autorização e com todos os direitos reservados pela:
Associação Religiosa Editora Mundo Cristão
Rua Antônio Carlos Tacconi, 79, São Paulo, SP, Brasil, CEP 04810-020
Telefone: (11) 2127-4147 — Home page: www.mundocristao.com.br

Editora associada a:
- Associação de Editores Cristãos
- Câmara Brasileira do Livro
- Evangelical Christian Publishers Association

A 1ª edição foi publicada em janeiro de 2007.

Impresso no Brasil

11 10 9 8 7 6 5 4 3 2 07 08 09 10 11 12 13

Para:

Robyn e Gary
Dois pontos de luz brilhando intensamente,
dois amigos andando lado a lado.

Sumário

Agradecimentos

Agradecemos pela ajuda inestimável de vários colegas, entre eles: Tim e Patricia Lentz, Scott e Theresa McLeod, David e Cynthia Iglesias, Tiana Wendelburg e Sharon Augustson. Todos deram contribuições importantes para a preparação deste texto.

Também somos gratos a Connie Lamoureux por sua ajuda com o material sobre desenvolvimento da linguagem no Apêndice A.

Por último, nosso agradecimento especial aos amigos e colegas professores: Gary e Robyn Vander Weide. A sabedoria que reuniram e sua experiência forneceram o embasamento prático para este livro.

Prefácio

Como pediatra, minha preocupação é fazer que as crianças sejam saudáveis. Isso significa mais do que examinar ouvido, nariz e garganta e ver que tudo está em ordem. O crescimento saudável inclui a boa formação física, moral e educacional. *Além do nana nenê* trata de cada uma dessas áreas.

A educação da criança no primeiro ano de vida envolve uma série de emoções tanto da parte dos pais quanto do filho. Amor, alegria, paz, contentamento e confiança são facilmente contrapostos por sentimentos de frustração, decepção e desânimo (e, por vezes, de desespero). Ao contrário do que muitos pais imaginam, o objetivo da educação da criança não é fazer com que ela só passe pelas experiências que consideram certas. Para eles, a criação dos filhos se reduz a evitar todas as emoções negativas e buscar todas as positivas. Por isso, o conceito de educação correta e incorreta é medido pela forma como os pais acham que seu filho se *sente*, e não pelo resultado final, o *comportamento* da criança. Se ela está feliz, os pais ficam satisfeitos. Se ela está triste, os pais se esforçam para criar um ambiente que elimine essa tristeza. Essa maneira de conduzir a questão não é saudável para as crianças, nem para as famílias, tampouco para a sociedade em geral.

O objetivo maior da criação dos filhos numa sociedade livre é de ordem moral. O dever de todo pai e mãe é educar crianças moralmente responsáveis que se tornarão adultos moralmente responsáveis. Essa tarefa importante não deve ser negligenciada até que a criança "seja madura o suficiente para entender". Cabe aos pais educar filhos que, em cada fase de crescimento, sejam uma bênção não apenas para os pais, mas para todos ao seu redor.

Baseamos este livro num modelo moral do desenvolvimento infantil, e não num modelo psicológico. A educação moral da criança é o alicerce da sua criação (mesmo nessa fase inicial), e o resultado é uma criança saudável, feliz e segura em seus relacionamentos ao longo de toda a vida. A educação moral é uma disciplina prioritária. O sucesso em todas as principais disciplinas da vida (como, por exemplo, o desenvolvimento de habilidades, as realizações acadêmicas e a formação de relacionamentos interpessoais saudáveis) está vinculado à qualidade da educação moral, e dela depende.

As crianças que possuem autocontrole e dominam as regras básicas de convivência também possuem o necessário para garantir uma vida saudável no que se refere à educação formal e aos relacionamentos. O autocontrole que mantém uma criança quieta no cadeirão sem fazer pirraça com a mãe é o mesmo que, mais tarde, a manterá sentada no banco da escola, lendo e estudando. A batalha para assegurar um bom comportamento no cadeirão é de cunho moral, e não acadêmico. Na verdade, a maior parte das coisas que os pais fazem em termos de educação dos filhos nos primeiros meses e anos de vida tem um propósito moral mais amplo.

Por que, então, a educação moral é importante? Ao educar corretamente o coração de uma criança, você está lhe dando o embasamento sólido necessário para as outras disciplinas da vida. E os resultados são visíveis. Vários pais comentam comigo que não apenas estão extremamente satisfeitos com os resultados obtidos pelo uso dos princípios encontrados neste livro, como também seus amigos e parentes ficam admirados com o que esses pais têm feito.

Nana nenê[1] oferecia o embasamento correto; *Além do nana nenê* apresenta a estrutura correta para criar um ambiente de aprendizagem apropriado para o desenvolvimento de qualquer criança nas principais disciplinas da vida. A educação correta é pré-requisito para experimentar as melhores emoções na criação dos filhos. *Além do nana nenê* ajudará você a alcançar esse objetivo.

DR. ROBERT BUCKNAM

[1] São Paulo: Mundo Cristão, 1997.

Introdução

VAMOS ENCARAR a realidade: há pelo menos cinco meses você está cumprindo a missão de educar seu bebê. A complexidade desse processo já começou a se evidenciar. Você aprendeu que, à medida que seu bebê se desenvolve, é continuamente influenciado por fatores constantes e variáveis. Mas agora, conforme ele entra nessa nova fase dos primeiros quinze meses de vida, as variáveis que influem o desenvolvimento começam a desempenhar um papel mais dominante. Como você deve agir em relação a essas variáveis? Com certeza, não convém deixar de lado aquilo que funcionou até aqui: a rotina do seu bebê. Seu próximo desafio é preservar a ordem e a estrutura que proporcionam segurança ao seu bebê e estabilidade ao seu lar.

Agora você deve se concentrar nos *princípios*, aprendendo como reagir corretamente às variáveis que vão surgindo na vida do seu filho nesta fase. É preciso saber o que esperar e quando esperar, ou seja, saber em que idade os diferentes padrões de comportamento surgirão. Conhecer a natureza progressiva do crescimento e desenvolvimento lhe permite estabelecer os padrões de comportamento esperado e fornece a orientação necessária para ajudar seu filho a alcançar os objetivos que você deseja para o comportamento dele.

Que tipo de padrão se pode e deve esperar da criança nesses primeiros quinze meses de vida? A hora de comer, por exemplo, já não é mais apenas um processo controlado pelo reflexo de sucção. Para a criança nessa fase, a refeição faz parte de uma interação consciente e extremamente complexa entre o que ela faz e o que o pai ou a mãe espera que ela faça. As condutas certas e erradas serão incentivadas, desestimuladas e orientadas quando necessário. Na verdade, os padrões do que é certo e errado no comportamento farão parte do cotidiano de seu filho. É por isso que a hora de comer, o tempo que ele passa acordado e a hora de dormir são oportunidades maravilhosas de ensinar seu filho.

Este livro enfatizará a importância de estabelecer padrões corretos de aprendizagem. Esses padrões formam as estruturas de aprendizagem que ajudam a criança ao longo de todo o seu processo inicial de desenvolvimento. Assim como a cartilagem se fortalece e se transforma em osso, os padrões de aprendizagem se desenvolvem e formam a base da formação moral e educacional. Portanto, os primeiros padrões estabelecidos devem ser corretos. Pesquisadores e educadores concordam que o crescimento e o desenvolvimento ocorrem em estágios nos quais as experiências novas se baseiam em experiências anteriores. *Além do nana nenê* foi criado para ajudar os pais a estabelecer os padrões corretos de aprendizagem para o seu filho, oferecendo a estrutura necessária para o desenvolvimento gradativo de uma série de aptidões.

Sendo este livro um guia prático, qualquer pai ou mãe de alguma criança nessa fase pode fazer bom proveito das informações oferecidas. Mas aqueles que estão familiarizados com nosso primeiro livro serão particularmente beneficiados. Em *Nana nenê*, apresentamos os princípios fundamentais a partir dos quais *Além do nana nenê* foi desenvolvido, incluindo as rotinas de alimentação, períodos de sono durante o dia e a noite. (Em geral, um bebê pode aprender a dormir a noite inteira nas primeiras seis a oito semanas de vida.) Incentivamos os pais que não conhecem os conceitos de *Nana nenê* a se familiarizar com eles antes de prosseguirem com a leitura desta seqüência.

Assim como no primeiro livro, este segundo volume pode lhe oferecer princípios confiáveis, mas nem todas as aplicações possíveis. Ao ler *Além do nana nenê* é fundamental que você pense em termos de *princípios*. Uma vez que conheça o princípio, pode aplicá-lo da maneira que parecer mais apropriada à situação específica do seu bebê.

Os próximos dez meses são críticos. Há muita coisa em jogo. Deste ponto em diante, seu objetivo é alcançar o coração do seu filho. Muitos pais dão mais ênfase à saúde psicológica do que à saúde moral da criança. A preocupação dos pais com o desenvolvimento psicológico não resolve o problema. Muitas vezes, essa preocupação *é o problema* que gera crianças emocionalmente frágeis. A saúde moral, com ênfase na educação do coração, é o remédio que previne as deficiências emocionais. *Além do nana nenê* explicará como isso acontece.

No fim deste livro você encontrará dois apêndices com várias informações inteiramente práticas e bastante proveitosas: Apêndice A — O desenvolvimento da linguagem na criança; Apêndice B — Dicas para ensinar seu filho a usar o *troninho*. Desejamos a você muitas experiências positivas e felicidades na educação de seu filho.

GARY EZZO

1

De volta ao bê-á-bá

EM *NANA NENÊ* RESSALTAMOS a importância de estabelecer uma mentalidade correta para a educação do seu filho. Em *Além do nana nenê* enfatizaremos a importância de manter essa mentalidade à medida que seu filho se aproxima do primeiro aniversário. A personalidade de uma criança é moldada pelas forças presentes nos primeiros anos. Os pais são o universo inteiro da criança e exercem a influência mais forte sobre a vida dela. Portanto, antes de passar às questões das quais trataremos neste livro, devemos voltar a alguns princípios fundamentais que permitiram a você completar a primeira fase com sucesso: 1) entender a prioridade do casamento; 2) reconhecer os perigos da educação centrada no filho; e 3) saber como evitar o extremismo no processo de educação do filho. Vamos revisar esses princípios.

A prioridade do casamento

O casamento é uma ligação especial entre duas pessoas que não pode ser equiparada com nenhuma outra relação. Pelo menos, deveria ser assim. Ele é singular — absolutamente inigualável. O casamento transcende todos os outros relacionamentos. Que coisa mais extraordinária! Aliás, um dos resultados mais importantes de casamentos bem-sucedidos é que *geram bons pais*. Um relacionamento saudável entre marido e mulher é essencial para a saúde emocional dos filhos no lar. Quando há harmonia no casamento, há estabilidade na família. Um casamento forte oferece um refúgio seguro para os filhos enquanto estes crescem e são educados. Os casamentos saudáveis e amorosos dão à criança uma sensação de segurança. Quando uma criança observa a amizade especial e intimidade emocional de seus pais, sente-se mais segura pelo simples fato de não ser necessário questionar a autenticidade daquele compromisso.

As crianças possuem uma espécie de *radar* incrível que capta os conflitos entre os pais. Quando uma criança percebe mais fraqueza do que força no relacionamento que eles mantêm, sente certa ansiedade que acaba pesando sobre todas as outras disciplinas da aprendizagem. Assim como acontecia com seus pais quando estavam crescendo, uma criança sabe intuitivamente que, se algo acontecer à mãe e ao pai, seu mundo inteiro se desintegrará. Se o relacionamento entre os pais trouxer dúvidas à mente da criança, ela se verá sempre à beira de um colapso.

Que criança não desejaria fazer parte de uma família em que o relacionamento conjugal é uma experiência positiva? Qual é a criança que, ao ver a união tão misteriosa e bela no casamento dos pais, não buscaria a mesma intimidade ao crescer? Os melhores anos da educação dos filhos fluem dos melhores anos de casamento. Proteja o seu casamento.

Os perigos da educação centrada na criança

A educação centrada na criança ameaça a vida familiar bem-sucedida. Veja, a seguir, uma relação de cinco perigos associados a esse tipo de dinâmica familiar.

1. A educação centrada na criança prejudica o relacionamento entre marido e mulher, reduzindo sua importância prática. No casamento, nem o homem nem a mulher podem ser privados um do outro. O casamento exige revelação. Nossa verdadeira natureza é revelada. Porém, a educação centrada na criança obriga indevidamente uma das partes a se retrair a fim de abrir espaço para o filho, que se torna, então, o centro da atenção no lar. A partir deste momento, nos revelamos menos para o cônjuge e, portanto, somos menos honestos a respeito de nós mesmos. Na tentativa de evitar a verdade a nosso respeito, encontramos convenientemente na paternidade ou maternidade outra imagem mais agradável. Sempre que nos retraímos no casamento, por mais nobre que pareça ser o motivo, nos afastamos do nosso referencial de honestidade: nosso cônjuge. Seus filhos merecem o melhor de vocês dois.

2. A educação centrada na criança inverte o processo de desenvolvimento moral, criando prematuramente uma sensação falsa de autonomia no interior da criança. Do seu próprio ponto de vista, a criança se torna auto-suficiente antes da formação do autocontrole necessário. Isso acontece porque essa filosofia oferece certas liberdades além da capacidade da criança de lidar com ela. A autonomia sem autodisciplina exerce uma influência destrutiva sobre as crianças pequenas.

3. A educação centrada na criança promove a independência da família, em vez da interdependência familiar. As crianças que se consideram o centro do universo familiar muitas vezes desenvolvem independência egoísta. A independência da família (em vez da interdependência) se torna um modo de vida — aliás, um modo de vida solitário. Nessa independência, a criança é privada da oportunidade de investir em relacionamentos. E sem investimento em relacionamentos, não há motivo para ser leal à família. As outras pessoas (pais, irmãos, colegas) são importantes apenas quando podem oferecer algum benefício no relacionamento. A base para a lealdade da criança passa a ser aquilo que ela pode obter de uma relação, em vez daquilo que ela pode oferecer. A educação centrada na criança favorece esse tipo de conclusão.

4. A educação centrada na criança aumenta o conflito entre seu jeito natural e sua necessidade de disciplina moral. Essa forma de educação gera uma tendência a desenvolver comportamentos negativos que acabarão transformando pais e filhos em adversários, ou levando os pais a abandonar os padrões razoáveis de responsabilidade moral.

5. A educação centrada na criança é reativa, e não proativa. Em se tratando das crises na vida da criança, é melhor prevenir do que reagir.

Agora que seu bebê chegou, você pode perceber como é fácil a educação centrada na criança se infiltrar no seu cotidiano. Se você colocou em prática os princípios apresentados em *Nana nenê*, evitou *a alimentação determinada pelas exigências do bebê*, mas será que foi igualmente bem-sucedido em evitar a *atenção dos pais determinada pelas exigências do bebê*, que é a precursora da educação centrada na criança? A dependência total que o bebê tem do cuidado dos pais torna ainda mais gratificante a experiência da criação de um filho. Felizmente, os pais podem evitar esses dois tipos de exigência. É possível suprir todas as necessidades físicas e emocionais de seu bebê sem gravitar em torno dele. Aqui estão alguns pontos tratados em *Nana nenê* que podem ajudar você a manter o equilíbrio.

1. Lembre-se de que a vida não pára quando seu bebê vem ao mundo. A vida pode desacelerar por algumas semanas, mas não pára completamente. Quando você se torna mãe, não deixa de ser filha, irmã, amiga e, principalmente, esposa. Esses relacionamentos eram importantes para você antes de seu bebê chegar. Não deixe de lhes dar atenção depois.

2. Se você costumava sair com seu cônjuge uma vez por semana antes de o bebê nascer, continue a fazê-lo enquanto amigos ou parentes cuidam da criança. Caso você não costume sair com seu cônjuge com regularidade, comece agora. Não precisa ser um programa caro ou demorado. E não se esqueça: uma criança não sofre daquilo que muitos chamam "ansiedade da separação" quando a mãe sai com o pai ao invés de ficar em casa com o bebê o tempo todo. Como observamos anteriormente, o casamento é o ponto de partida para as crianças se sentirem seguras.

3. Não abra mão dos gestos de afeição que caracterizavam o seu casamento antes da chegada do bebê. Se vocês dois tinham uma atividade que gostavam de realizar juntos, procurem incluí-la em sua agenda. Se o marido volta para casa com um presente para o bebê, também deve dar flores para a esposa. A idéia é simples: os gestos afetuosos que marcavam seu relacionamento e o tornavam especial não devem ser colocados de lado.

4. Faça uma pausa no sofá. No fim do dia, separem quinze minutos para se sentar juntos no sofá, como casal. Façam isso enquanto as crianças estiverem acordadas, e não depois do horário de dormir. Expliquem para os seus filhos como é importante o casal não ser interrompido desnecessariamente, pois se trata de um momento especial para vocês dois. Diga que o papai poderá brincar mais tarde, mas que, naquele instante, a atenção dele é toda da mamãe, pois ela é muito especial para ele. Essa pausa no sofá é uma demonstração visível da sua intimidade. As crianças podem medir de forma tangível o relacionamento amoroso do pai e da mãe, suprindo, desse modo, sua necessidade interior de segurança. Além disso, a pausa no sofá é o espaço especialmente reservado para que os dois possam compartilhar suas necessidades relacionais um com o outro.

5. *Convide amigos para almoçar, jantar ou passar um tempo juntos*. Receber pessoas é uma distração saudável das pressões impostas pela educação dos filhos. Obriga você a planejar o dia da criança com o objetivo de servir outras pessoas, e não apenas o seu filho.

6. *Não cometa o erro de sonegar informações a seu cônjuge, quer intencionalmente ou por esquecimento*. Educar os filhos é trabalho em equipe. A troca de idéias permite que vocês possam entender seu filho melhor e educá-lo apropriadamente. Uma vez que a mãe passa mais tempo cuidando da criança, é responsabilidade dela manter o pai informado sobre aquilo que tem observado.

Se você deseja educar com excelência, dedique-se continuamente à preservação do casamento. Uma perspectiva correta da importância desse relacionamento é o ponto de partida para relacionamentos saudáveis entre pais e filhos.

Os extremos e o contexto na educação dos filhos

Como dissemos em *Nana nenê*, é importante evitar extremos na educação do seu filho. Isso vale para todos os anos do processo de criação. Mães e pais que levam a educação dos filhos a extremos criam problemas quando, em qualquer momento, elevam sua filosofia de educação acima daquilo que é melhor para a criança. Ou seja, colocam a regra de comportamento acima do princípio que a regra representa. Esta forma de educação extremista é chamada apropriadamente "legalismo".

É comum dizermos que precisamos "entender o contexto". A principal característica do legalista é que ele rejeita o contexto. Agir de acordo com o contexto — o conjunto singular de circunstâncias que definem uma situação — não significa abrir mão dos princípios apresentados em *Nana nenê*.

Antes, você pode se concentrar na maneira correta de agir a curto prazo sem comprometer seus objetivos a longo prazo.

Haverá ocasiões em que o contexto de uma situação determinará a suspensão temporária de algumas diretrizes gerais. Os pais são dotados de experiência, sabedoria e bom senso. Confie primeiro nesses atributos, e não em suas emoções num determinado momento ou na rigidez do relógio. Quando surgirem situações especiais, permita que o contexto o oriente. Eis alguns exemplos de como e quando isso deve ocorrer.

Situação 1: Você está num avião e seu bebê de seis meses de idade começa a se inquietar e chorar alto. Você o alimentou há duas horas. O que fazer? Se nem você nem um brinquedo forem suficientes para satisfazer o seu filho, considere a possibilidade de alimentá-lo novamente. O contexto e a ética envolvidos tornam necessário que você não deixe a rotina do seu bebê perturbar o vôo dos outros passageiros. Se não fizer nada, acabará causando tensão a si mesmo e aos outros passageiros. Normalmente, você esperaria mais para alimentar seu bebê novamente, mas o contexto da situação determina que essa rotina deve ser temporariamente alterada. Ao chegar ao seu destino, volte à rotina habitual. (Para mais informações sobre viagens com o bebê, veja o capítulo 7.)

Situação 2: Você e sua filha de dez meses de idade estão passando a noite na casa de amigos. Ela normalmente dorme a noite toda, mas nessa ocasião acorda às três da manhã. Qual é a atitude moralmente correta para este caso? Acalmar a criança e ajudá-la a pegar no sono outra vez. É verdade que, em casa, ela provavelmente voltaria a dormir sozinha depois de uns cinco minutos de inquietação ou choro, mas vocês não estão em casa — são hóspedes na residência de outra pessoa e sua filha está perturbando o sono de outros. Ao voltar para casa, volte à rotina habitual e a criança acompanhará.

A maior parte do dia será rotineira e previsível. No entanto, haverá ocasiões em que você precisará ser mais flexível devido a circunstâncias extraordinárias. Sua vida será menos tensa se você considerar o contexto de cada situação e agir apropriadamente para o bem de todos.

Resumo

O ser humano é, por natureza, uma criatura social, tanto no contexto mais amplo da comunidade em que vive sua vida pública quanto no contexto mais restrito da intimidade do seu mundo particular. O ser humano precisa de alguém com quem possa compartilhar a vida, ser completo e ter intimidade emocional, física e espiritual. Tudo isso leva ao casamento e à necessidade de protegê-lo. A educação centrada na criança e o legalismo não são benéficos nem para o seu casamento nem para os seus filhos. São práticas prejudiciais que devem ser evitadas para o bem da sua vida familiar e dos seus filhos.

Perguntas para revisão

1. Que acontece quando uma criança percebe mais pontos fracos do que fortes no relacionamento de seus pais?
2. De que maneira a educação centrada na criança inverte o processo natural de desenvolvimento moral? Explique.
3. Por que a pausa no sofá é tão importante?
4. Quais as conseqüências do extremismo na educação dos filhos?
5. O que um legalista rejeita? Explique.

2

Os fundamentos morais

AO LONGO DO PRIMEIRO ano de vida do seu bebê, dois processos serão predominantes: o crescimento e a aprendizagem. Esses processos são interdependentes, porém não intercambiáveis. O *crescimento* se refere às mudanças biológicas e à maturação; a *aprendizagem* diz respeito aos processos mentais que incluem a educação e o desenvolvimento moral. Tanto no crescimento quanto na aprendizagem, as mudanças pelas quais seu filho passa são progressivas — cada estágio de desenvolvimento é baseado na conclusão bem-sucedida do estágio anterior e dependente dela.

Fatores de crescimento

Tanto os animais quanto os seres humanos seguem um padrão de desenvolvimento próprio. No desenvolvimento pós-natal, os bebês apresentam dois padrões de crescimento: vertical, da cabeça aos pés; e horizontal, do eixo central do corpo às extremidades. O desenvolvimento vertical ocorre de maneira *descendente*, ou seja, de cima para baixo. Isso significa que os avanços na estrutura e função se dão primeiramente na região da cabeça da criança, passando então ao tronco (corpo) e, por fim, às pernas e aos pés.

O desenvolvimento típico ocorre na seguinte seqüência: seu bebê começa levantando a cabeça, mexendo-a um pouco para frente e para trás e, depois, descansando-a novamente na cama. Em seguida, começa a manter a cabeça erguida como resultado do desenvolvimento dos músculos do pescoço e do tórax. Com vinte semanas, o bebê desenvolve controle sobre os músculos dos olhos, da cabeça e dos ombros, mas o tronco ainda não tem firmeza, de modo que ele precisa ser apoiado ou preso à sua cadeira para se manter sentado. Seu bebê começará a usar muito bem os braços e as mãos para alcançar e agarrar coisas antes de usar as pernas. Por fim, seu filho começará a se deslocar: primeiro, se arrastando, e depois, engatinhando, andando, correndo, pulando e saltando.

O desenvolvimento horizontal vai do simples ao complexo. O crescimento no estágio pré-natal começa com a região da cabeça e desce para o tronco. Essas regiões se desenvolvem consideravelmente antes de os braços e as pernas começarem a crescer. Aos poucos, esses membros vão ficando mais longos e as mãos e os dedos começam a se desenvolver. Em termos funcionais, no estágio pós-natal o bebê usará os músculos do tórax primeiro, depois os dos braços e, por fim, os das mãos. Seu bebê usará as mãos como um todo antes de conseguir controlar os movimentos dos dedos. A palavra-chave para a maturação biológica é *ordem* — o crescimento físico ocorre de maneira ordenada e previsível.

Fatores da aprendizagem

Enquanto a maturação biológica se refere às mudanças nas capacidades físicas resultantes de estímulos genéticos, a aprendizagem indica mudanças resultantes da interação com o *ambiente*; em sua maior parte, a aprendizagem se dá por influência e instrução dos pais. Assim como os adultos, as crianças interpretam experiências novas em relação a conhecimentos previamente adquiridos. Isso quer dizer que a aprendizagem é progressiva, e que uma criança só adquire compreensão quando as informações novas são relacionadas a experiências anteriores. A rotina e a transição ordenada a cada estágio do desenvolvimento contribuem para fazer a ligação entre as informações novas e a compreensão da criança.

A aprendizagem é intensificada de forma considerável quando a criança pode progredir de maneira ordenada em seu mundo novo e cada vez mais amplo. É a assimilação gradativa de várias percepções que estimula a formação de idéias. A criança capaz de associar significados corretos com experiências novas se mostra muito mais avançada em sua compreensão do que a criança que precisa associar um significado novo a uma situação anterior que demanda correção. Uma vez que a aprendizagem se dá em estágios progressivos, a educação deve seguir esse mesmo padrão, ocorrendo lado a lado com os avanços na aprendizagem. Por esse motivo, é necessário que os pais ofereçam ao filho um ambiente de aprendizagem, no qual informações são associadas à compreensão.

Vários fatores influem na aprendizagem de forma positiva e negativa. Alguns dos mais evidentes são o temperamento da criança, a presença ou ausência de irmãos, a determinação dos pais, o propósito da educação, os métodos de instrução e o reforço. Em termos gerais, a aprendizagem pode ser dividida em três categorias: habilidades básicas, aprendizagem acadêmica e desenvolvimento moral. Vejamos cada uma delas.

Habilidades básicas. Nem todo comportamento é de natureza moral. Algumas ações são moralmente neutras, como aquelas relacionadas às habilidades básicas. Uma das áreas mais importantes e de avanço mais rápido durante os primeiros anos da vida de uma criança é o desenvolvimento das habilidades motoras. Aprender a usar uma colher, andar, nadar, amarrar os cadarços do sapato, andar de bicicleta, chutar uma bola e subir por uma corda são atividades adquiridas gradativamente e de natureza *amoral*, ou seja, não são nem morais nem imorais. Trata-se de habilidades intimamente ligadas ao ambiente da criança, às suas oportunidades de aprender e à sua motivação para isso. A maioria das crianças adquire destreza em estágios progressivos. Quando uma criança de até três anos de idade atira uma bola para outra com a mão, por exemplo, usa o corpo todo para isso. À medida que a coordenação se desenvolver, a criança jogará a bola usando apenas um braço.

Aliás, habilidades, talentos e dons não são a mesma coisa. Habilidades (como caminhar, colorir dentro das linhas, andar de bicicleta, aprender a nadar e jogar uma bola) são básicas para todos os seres humanos. Os talentos naturais diferem das habilidades por serem discriminatórios (algumas pessoas têm um determinado talento, outras não). Todos temos talentos, mas não necessariamente os *mesmos* talentos. O dom é um talento ampliado. Muitos músicos são naturalmente talentosos, mas Mozart tinha um *dom* para música.

Aprendizagem acadêmica. A aprendizagem acadêmica é o acúmulo de dados e a capacidade de aplicar a lógica (as habilidades de raciocínio) a determinadas situações. De maneira bastante parecida com o desenvolvimento físico, a aprendizagem acadêmica passa dos aspectos gerais para os específicos e é progressiva. Ensinamos o alfabeto a nossos filhos a fim de que possam aprender a juntar as letras e formar palavras, e então, ler essas palavras. Eles começam contando 1, 2, 3, 4, 5; mas leva algum tempo até perceberem que esses números também podem representar 12.345. As crianças aprendem primeiro sobre as árvores em geral, e só depois começam a distinguir entre um pinheiro e um carvalho, por exemplo. Mais tarde, aprenderão a distinguir entre tipos diferentes de pinheiros.

Desenvolvimento moral. Apesar de a educação formal ser valiosa, não é mais importante que a educação moral, nem a exclui. Ambas precisam estar em andamento desde a primeira infância. A consciência da criança não começa a funcionar a partir do nascimento. Com isso, queremos dizer que a criança não tem nenhuma noção de certo e errado. Desde o início, os pais devem se empenhar em educar um filho que regule seu próprio comportamento de dentro para fora, de acordo com as regras da ética comum. Até a criança internalizar princípios morais saudáveis, os pais têm a obrigação de avaliar situações e tomar decisões morais para o filho. No começo da educação, isso significa que é necessário haver pressão externa para produzir o comportamento, mesmo que a criança não entenda a razão para esse comportamento. O fato de uma criança não ter discernimento moral da razão pela qual a comida não deve ser jogada propositalmente do cadeirão para o chão não quer dizer que devemos deixar de dar instruções e impor restrições.

No caso dos adultos, a convicção precede as ações. No caso das crianças, acontece o contrário: as ações precedem as convicções. É por isso que os pais devem insistir no comportamento moral antes mesmo de a criança ser capaz de entender conceitos morais. Em primeiro lugar, as crianças aprendem como agir moralmente, e depois aprendem como pensar moralmente. As duas fases da educação moral são, portanto, 1) *o desenvolvimento do comportamento moral* e 2) *o desenvolvimento de conceitos morais*. As ações vêm antes da compreensão. Este livro trata apenas da importância do comportamento moral.

A educação moral e o desenvolvimento do autocontrole

Qual a definição de comportamento moral nos primeiros quinze meses de vida? É provável que envolva mais ações do que você imagina. O fato de os bebês ainda não fazerem escolhas de ordem moral não significa que não tenham comportamentos morais e, portanto, que a educação moral não seja necessária. Ela é, sim. O desenvolvimento de padrões de aprendizagem saudáveis é o primeiro passo da criança rumo ao discernimento moral.

A estrutura e a rotina básica de seu bebê contribuem para o estabelecimento desses padrões. Quando uma criança está em paz com seu ambiente geral, seu potencial de aprendizagem aumenta e os distúrbios de aprendizagem são minimizados. Em contrapartida, os bebês criados em um estilo de educação de gratificação imediata — que parte do pressuposto de que todas as necessidades da criança, quer reais, quer supostas, devem ser atendidas de imediato a fim de satisfazê-la inteiramente — desenvolvem padrões de aprendizagem prejudiciais.

A gratificação oportuna gera um maior autocontrole nas crianças, o que, por sua vez, produz períodos de atenção mais longos e uma aptidão avançada para a aprendizagem educacional e moral. A palavra-chave aqui é "autocontrole". Trata-se de uma virtude fundamental, pois outras virtudes em um indivíduo não podem existir sem esta. O autocontrole influencia a bondade, a gentileza, o discurso apropriado e a capacidade de controlar emoções negativas, as habilidades de prestar atenção e de permanecer sentado, bem como vários outros comportamentos. Ao ensinar seu filho a ter a reação moral correta, você está, ao mesmo tempo, ensinando-o a ter autocontrole.

Esta é uma das principais encruzilhadas no caminho dos estudos comportamentais. Vários teóricos aceitam a razão humana como base para a moralidade e se concentram no estímulo intelectual como prioridade, colocando-o à frente do desenvolvimento moral. No entanto, convidamos o leitor a considerar o seguinte ponto de vista contrário: *além de ser uma prioridade na formação inicial, a educação moral é absolutamente necessária para o nível ideal de desempenho intelectual.*

Isso porque o autocontrole não é uma disciplina acadêmica, mas moral. Sentar-se, prestar atenção e concentrar-se também são disciplinas morais que o intelecto toma emprestado para promover a realização acadêmica. [Gary:] Aos nove meses, minha neta Ashley começou a arcar as costas para trás numa atitude provocadora enquanto estava sentada no cadeirão. Suas ações foram morais, e a reação de seus pais foi moral: eles trabalharam no sentido de eliminar esse comportamento, e aos onze meses de idade, Ashley havia aprendido a ficar sentada quieta no cadeirão. Ela foi ensinada a indicar que desejava mais comida ou que queria descer do cadeirão fazendo *sinais* com as mãos. Como bebês de nove meses têm certa capacidade mental de se comunicar, mas ainda lhes falta habilidade verbal, a linguagem de sinais se tornou um modo satisfatório de Ashley se comunicar, em vez de arcar as costas.

O mais importante na educação de Ashley nesse sentido não foi o uso dos sinais em si, mas o nível de autocontrole dela. O autocontrole que usava para não arcar as costas era exatamente o mesmo para comunicar o que desejava. Ensinar o autocontrole moral não é um exercício isolado. O autocontrole necessário para ficar sentado, pensar e escolher um modo mais adequado de se comunicar é o mesmo que irá preservar a criança ao longo de toda a vida. Esse autocontrole é produto da instrução moral, e não resultado do uso de cartões ilustrados, jogos educativos ou matemática infantil. Havia um motivo para Ashley aprender a se controlar, mesmo que ela não tivesse consciência disso.

Ao atingir cinco anos, é tarde demais para a criança começar a trabalhar a capacidade de sentar quieta, prestar atenção e se concentrar. Trata-se de habilidades referentes ao desenvolvimento moral, e não de atividades adquiridas de acordo com a idade. São habilidades que dependem de uma estrutura ordenada desde o início da vida. Mesmo agora, no primeiro ano de vida do seu bebê, você já está lançando os alicerces para o desenvolvimento futuro. O desenvolvimento moral saudável gera resultados positivos no âmbito da educação formal.

É possível aos pais alterar o quociente de inteligência (QI) do filho? Não. É possível maximizar ou limitar esse quociente? Sim. Esta é nossa convicção depois de observar repetidamente que os pais que rejeitaram o ambiente estruturado nos primeiros anos e não fizeram nada para corrigir a falta de estrutura até os três anos de idade acabaram desacelerando e, em vários casos, atrapalhando o processo de desenvolvimento moral e intelectual. É por isso que *Além do nana nenê* se concentra no coração da criança, naquela parte de nosso ser que é a fonte de vida. Em última análise, pais que trabalham com o coração de uma criança a educam como um todo. Os que trabalham exclusivamente com o intelecto terão, na melhor das hipóteses, educado uma criança esperta, porém moralmente frágil.

Criando seu filho dentro do funil

Observe o quadro ao lado. A base alongada do funil representa os primeiros estágios da criação de seu filho, enquanto a parte mais larga representa o crescimento da criança, seu processo de amadurecimento e a obtenção gradativa de liberdades. O processo funciona da seguinte maneira: à medida que a criança cresce, passando por essa base alongada, as liberdades são obtidas na mesma proporção em que a criança demonstra um comportamento responsável.

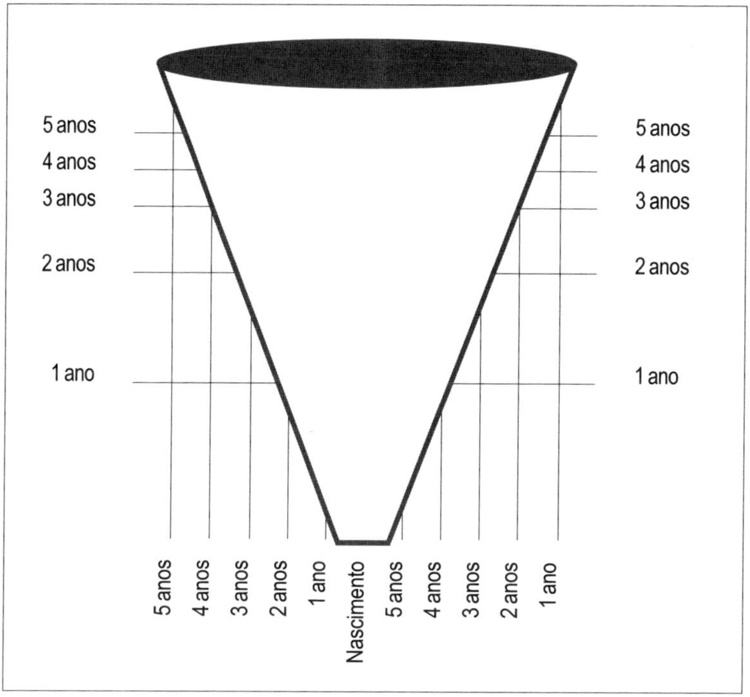

Um erro comum que, por vezes, os pais cometem é *criar o filho fora do funil* durante o primeiro ano. Ou seja, os pais permitem comportamentos que não são apropriados para a idade e não se encontram em harmonia com a capacidade moral e intelectual da criança. Permitir que um bebê de sete meses tenha liberdades apropriadas para uma criança de dois anos de idade, ou que uma criança de um ano tenha liberdades apropriadas para uma de cinco é criar o filho fora do funil. Essas liberdades não promovem padrões de aprendizagem saudáveis.

O cerne da questão é a seguinte: *seu desejo de harmonia no desenvolvimento de seu filho requer que você lhe conceda liberdades somente depois que tiver alcançado o nível apropriado de autocontrole para sua idade.* Uma liberdade concedida a uma criança que não é orientada pelo nível de autocontrole necessário para lidar com ela acaba tornando essa criança escrava dos seus desejos. Quando as liberdades concedidas são maiores do que a capacidade de autocontrole da criança, cria-se um estado de desequilíbrio. Analise as seguintes equações:

1. Liberdades maiores do que o autocontrole = confusão no desenvolvimento.
2. Liberdades menores do que o autocontrole = frustração no desenvolvimento.
3. Liberdades equivalentes ao autocontrole = harmonia no desenvolvimento.

Queremos que essas equações façam sentido para você. A primeira explica que, quando as liberdades concedidas a uma criança são maiores do que seu autocontrole, o resultado é um desenvolvimento confuso. A segunda se refere ao fato de que sonegar liberdades a uma criança que possui autocontrole apropriado para sua idade gera frustração no desenvolvimento. Isso normalmente não ocorre na fase de desenvolvimento do primeiro ano, aparecendo mais tipicamente na criança entre cinco e oito anos de idade. É nessa fase que as crianças começam a comparar a legitimidade das liberdades que os pais lhes concedem e das restrições que lhes impõem com o que outras crianças podem fazer. Na terceira equação, vemos que a harmonia no desenvolvimento é obtida quando as liberdades concedidas à criança são apropriadas ao seu nível de autocontrole. Os exemplos a seguir ilustram esses conceitos.

Jim e Brenda Johnson ficaram empolgados com a mobilidade de seu filho Joshua, de nove meses, quando ele começou a engatinhar. Decididos a não reprimi-lo, os pais não impuseram limites ao bebê. Ele podia tocar e explorar o que quisesse.

Mas o que acontece quando a família Johnson vai visitar amigos ou parentes ou sai para fazer compras e Joshua mexe em tudo o que vê pela frente? Como podem controlá-lo? Como ele entenderá essas restrições? De repente, enfrentará restrições em seu comportamento que não haviam sido impostas antes. Além de confundir a criança, isso cria um conflito desnecessário entre ela e seus pais. Uma vez que conquistou certo território, nenhuma criança quer perdê-lo.

O problema teve início quando os pais de Joshua deixaram de colocar limites apropriados para a idade dele assim que o menino começou a se movimentar pela casa. Devido a essa ausência de restrições, Joshua se viu num ambiente grande demais para ele. A liberdade exagerada criou um número excessivo de variáveis com as quais ele não estava pronto para lidar. Jim e Brenda estavam criando seu filho fora do funil. Deveriam ter demarcado o campo de exploração de Joshua, definindo limites, ensinando-o a respeitar esses limites e só então permitindo que as restrições dessem lugar às liberdades. No entanto, eles inverteram o processo, forçando a liberdade a dar lugar a restrições, uma vez que Joshua não era capaz de interagir adequadamente com seu ambiente. Ao invés de ajudar Joshua a avançar gradativamente para uma liberdade cada vez maior, seus pais tiveram de fazê-lo *regredir* para uma restrição maior.

Sem dúvida você se lembrará de ocasiões em que concedeu alguma liberdade antes do momento certo, quando a criança ainda não estava pronta para lidar com as responsabilidades correspondentes. Suspender privilégios não deve ser a norma na educação dos filhos, mas a exceção. Você pode evitar a necessidade de reeducar seu filho. Para isso, deve avaliar o que ele pode fazer, ou com que pode brincar, antes de dar a permissão.

Você permite, por exemplo, que seu filho de oito meses brinque com o controle remoto da televisão? Em caso afirmativo, por quê? A criança entende para que ele é usado, como ele funciona e por que não é um brinquedo? Quando ela começar a bater com o controle na mesa de centro, você o toma da mão dela? E quando a criança estiver na casa do vizinho, pegar o controle remoto e fizer a mesma coisa, como você poderá impedi-la?

O que fará quando seu filho não deixar você pegar o controle remoto da mão dele? De repente, você se verá cercado de variáveis que não deveriam ter se tornado parte da vida do seu bebê. Deixar que seu filho brinque com o controle remoto é criá-lo fora do funil. Nessa fase do desenvolvimento, um controle remoto não tem sentido nem propósito. Por que acrescentar à vida do seu bebê uma variável que precisará ser corrigida mais tarde? Permitir à criança uma liberdade ilimitada para explorar é imprudente e prejudicial em termos de desenvolvimento. *O problema não é a liberdade, mas a capacidade da criança de lidar com o poder que a liberdade lhe dá.* Vale a pena lembrar sempre que a omissão em corrigir a criança hoje redundará em tirania moral amanhã.

Quero apresentar outro exemplo. Os pais de Becky achavam uma graça vê-la rasgar jornais velhos, e ela adorou a brincadeira, aparentemente inofensiva. Mas esta também é uma situação que pode fugir facilmente do controle. Antes de tudo, os pais de Becky deveriam ter percebido os riscos envolvidos nessa brincadeira: a beirada das folhas de papel, ainda que finas, podem cortar a pele delicada do bebê; a criança pode engolir o papel rasgado e se engasgar, ou se intoxicar com a tinta de impressão; também pode acontecer de a tinta entrar nos olhos da criança. Além de ser perigoso, rasgar jornais como entretenimento pode levar a criança a se divertir arrancando e rasgando páginas de seus livros, ou dos pais e dos irmãos. E o que os pais serão obrigados a fazer? Além de precisar corrigir o comportamento, terão de limitar as oportunidades educativas que a criança teria no contato com seus livros. Esse é outro exemplo da criação de filhos fora do funil. Como no caso da família Johnson, será preciso reeducar a criança.

A fim de evitar a reeducação, que normalmente produz resultados menos satisfatórios, você deve avaliar continuamente aquilo que permitirá a seu filho fazer, de acordo com a faixa etária, a compreensão e as habilidades dele. Você está concedendo liberdades inapropriadas ao seu filho? Trate dos fatores constantes e controle os temporários até que a criança tenha capacidade moral de lidar com a liberdade decorrente dessas variáveis. Voltemos à terceira equação: liberdades concedidas que correspondem ao nível de autocontrole da criança redundam em harmonia no desenvolvimento.

Harmonia. Que palavra maravilhosa para o universo de uma criança na primeira infância. A palavra "harmonia" indica a combinação de partes em um todo ordenado. É exatamente isso que os pais devem se esforçar para buscar com seu filho nesse primeiro ano. Considere as três partes do dia do seu bebê (a hora de comer, a hora de ficar acordado e a hora de cochilar) e promova harmonia em cada uma delas.

Retomemos o exemplo do controle remoto. A criança que recebe um brinquedo apropriado para a própria idade no lugar do controle remoto dificilmente vai precisar ser limitada no uso do brinquedo. Ao oferecer um brinquedo apropriado, você, além de controlar as variáveis, também limitará a necessidade de correção constante. É a correção constante e a imposição de limitações que perturba o universo da criança, causando confusão no desenvolvimento.

Você está concedendo liberdades inapropriadas ao seu filho? A criança de um ano que aprendeu limites aos nove meses e agora reage às limitações indicadas verbalmente pelos pais pode lidar com mais liberdades dentro e fora de casa do que a criança que recebeu liberdades logo cedo, mas as perdeu por causa de seu comportamento incontrolável. A sua vida e a de seu bebê serão muito mais agradáveis e fáceis de administrar se você criar seu filho dentro do funil, permitindo que as restrições dêem lugar às liberdades de forma gradativa.

Resumo

Como pai ou mãe, é sua obrigação produzir um ser humano responsável, um desafio que não pode ser deixado ao sabor do acaso. Aceite os desafios de criar seu filho, consciente de que o processo de educação do seu bebê começa com você. Para a criança, fazer parte da sua família não é opcional; é compulsório. Isso significa que a submissão moral é uma necessidade. Certas virtudes, como gentileza, bondade, sensibilidade, caridade, honestidade, honra e respeito, são extremamente valiosas. Considerando que essas qualidades não são encontradas naturalmente na vida da criança, devem ser instiladas e encorajadas em seu coração.

Os pais têm autoridade sobre a vida da criança e devem se orgulhar disto. Ainda que seja uma grande responsabilidade, não se esquive dela. Você deve orientar seu filho até que ele desenvolva no coração o autocontrole e os preceitos morais necessários para governar a si mesmo. A liberdade de dirigir as próprias atitudes deve ser concedida gradativamente. Com o tempo, seu filho terá permissão para sair do cercadinho, brincar no quintal e, depois, na vizinhança. À medida que seu filho demonstrar bom senso e comportamentos apropriados para sua idade, obterá outro nível de liberdade. Esse tipo de treinamento resulta numa criança que se desenvolve de forma saudável e é uma alegria na vida de todos.

Perguntas para revisão

1. Descreva em poucas palavras as três categorias de aprendizagem.
2. Quais são as duas fases da educação moral?
3. Por que a conquista do autocontrole é tão importante para a criança?
4. Explique por que a educação moral deve ser não apenas uma prioridade no ensino inicial, mas um elemento absolutamente necessário para o desempenho intelectual ideal.
5. Qual é o uso correto do funil de crescimento apresentado neste capítulo?
6. O que significa "criar o filho fora do funil"?

3

Atividades na hora da refeição

Em *Nana nenê*, apresentamos as três atividades principais do dia de seu bebê:

1. A hora de comer.
2. A hora de ficar acordado.
3. A hora de cochilar.

Com modificações apropriadas para cada faixa etária, essas atividades continuam ao longo da primeira infância. O primeiro ano de seu bebê é dividido em quatro fases básicas: fase um, *estabilização*; fase dois, *noite estendida*; fase três, *dia estendido*; e fase quatro, *rotina estendida*. Este capítulo tratará da hora de comer e das atividades relacionadas à hora da refeição associadas à quarta fase, a da rotina estendida (dos seis meses em diante).

Aos seis meses de idade, os bebês cuja alimentação é orientada pelos pais (uma estratégia para o cuidado do bebê que visa suprir suas necessidades nutricionais, físicas e emocionais e também as necessidades da família como um todo) fazem a transição de uma rotina de quatro horas, com quatro mamadas ao dia, para três refeições ao dia (café da manhã, almoço e jantar), com uma mamada na hora de dormir. Se você ainda está amamentando, essa última refeição do dia é necessária para que o seu leite não seque. Você complementará as três refeições principais com papinhas. Mais tarde, pode acrescentar um lanche da tarde quando houver um período de cinco a seis horas entre o almoço e o jantar.

Oração

Cremos que a vida é mais do que um acidente cósmico que aconteceu sem motivo ou propósito. A existência de um Deus pessoal e benevolente que coloca ordem em todas as coisas faz parte da nossa visão de mundo. Se ela também faz parte da sua visão de mundo, pense na possibilidade de fazer uma oração de agradecimento antes de cada refeição. Os pais atuam, em vários sentidos, como substitutos para os filhos. Servimos, por exemplo, de consciência moral até que a consciência deles esteja plenamente desenvolvida. Tomamos decisões prudentes por eles até que cresçam em sabedoria. E agradecemos em nome deles pelos alimentos que vão receber.

A primeira verdade eterna da qual seu filho participará será o relacionamento com Deus através da oração. Ore com seus filhos, especialmente na hora das refeições. É importante estabelecer um padrão de oração desde o começo. Agradecer verbalmente é dar um exemplo que glorifica a Deus. Quando orar com seu filho, segure a mão dele e diga: “Vamos abaixar a cabeça e agradecer a Deus”. Que bênção maravilhosa será quando sua criança de quinze meses esperar voluntariamente que uma oração de agradecimento seja feita antes de ela comer!

A introdução de alimentos sólidos

A alimentação orientada pelos pais continua ao longo dos primeiros quinze meses com o acréscimo de alimentos sólidos. Os pais normalmente introduzem comidas desse tipo na alimentação do bebê entre o quarto e o sexto mês. Seu pediatra o orientará sobre quando isso deve ser feito. Alguns fatores que influenciam o início do uso de alimentos complementares são a idade do bebê, o ganho de peso e os padrões de sono. A introdução de alimentos sólidos não significa que você deve suspender as mamadas. As calorias provenientes do leite materno ou do leite em pó apropriado para o bebê ainda são extremamente importantes. Em termos nutricionais, nem a alimentação sólida nem as mamadas, isoladamente, são suficientes.

Como começar

É natural as mães se preocuparem com a saúde nutricional de seus filhos e fazerem perguntas como: "O que devo dar para o meu bebê comer?"; "E se ele não gostar?"; "Como as refeições sólidas devem ser inseridas na rotina diária?"; e "Por onde começo?". Uma orientação a ser lembrada é que muitos dos princípios nutricionais ditados pelo bom senso que se aplicam a você, como adulto, também valem para o seu bebê.

Inicialmente, você deve oferecer ao seu bebê os alimentos sólidos nos horários normais de refeições. Se, por exemplo, você está alimentando seu bebê às sete (café da manhã), às onze (almoço), às quinze (jantar) e às dezenove horas, então os sólidos devem acompanhar as três refeições principais. Continue a oferecer o peito ou a mamadeira antes de servir os alimentos sólidos. Seu objetivo, no fim do sexto mês do seu bebê, é fazer os horários de refeição dele coincidirem com as refeições do restante da família.

As mães que estão amamentando devem continuar oferecendo o peito pelo menos quatro vezes por dia a fim de manter um volume adequado de leite. Comece a alimentar seu bebê em um dos peitos. Depois, ofereça o alimento sólido. Se seu bebê não estiver aceitando bem esses alimentos, tente oferecê-los primeiro, e depois dar o peito, intercalado com mais um pouco de alimento sólido e, por fim, o peito novamente.

Para as mães que estão usando mamadeira, ofereça metade, os alimentos sólidos e, por fim, o restante da mamadeira.

Não ofereça alimentos sólidos para o seu bebê para, duas horas depois, amamentar e, passadas mais duas horas, oferecer alimentos sólidos outra vez. Isso é beliscar, e não comer, e perturba o ciclo de fome da criança e a estabilização dos períodos de sono e de ficar acordado.

Mesmo na hora das refeições, procure oportunidades de ensinar seu filho, evitando, assim, a necessidade da reeducação. Não permita que hábitos alimentares inapropriados (como colocar os dedos na boca, brincar com a comida ou cuspi-la) se transformem no seu padrão normal de comportamento. Isso tornará necessária a correção mais adiante. Para ajudar a melhorar a coordenação de seu filho com a colher ou o garfo, permita que ele brinque com esse talher durante a hora do banho, por exemplo, e não durante a refeição.

À medida que a criança passar a ingerir alimentos mais consistentes (cereal matinal, ervilhas, banana e outros que podem ser cortados em pedaços), ofereça o talher apropriado. A criança usará naturalmente o que for mais fácil. A princípio, serão os dedos, mas, com o tempo (normalmente entre 18 e 24 meses), já saberá usar a colher e o garfo. Seja paciente. Aprender a segurar esses talheres corretamente é uma habilidade motora, e faz parte do processo normal de crescimento da criança.

O mingau

Ao introduzir o mingau na dieta do bebê, comece com a refeição do dia que for mais conveniente para *você*. Seja paciente com o processo. Colocar uma colher na boca de seu bebê de quatro ou cinco meses é uma experiência nova para você e para ele. A primeira coisa que ele fará será empurrar a comida para fora com a língua, não porque a está rejeitando, mas porque não sabe o que fazer com ela. Normalmente, o bebê leva três a quatro dias para aprender a comer da colher.

Na segunda semana, você pode oferecer o mingau no café da manhã, no almoço e no jantar. (Misturas diferentes de cereais, como aveia, arroz e trigo, podem ser adicionadas à dieta dele depois que você tiver conseguido incluir legumes e frutas. Consulte seu pediatra para saber quando acrescentar outros tipos de mingau e cereais matinais.) Comece misturando uma colher de sopa da farinha de cereal com quatro ou cinco colheres de sopa de leite do peito ou da mamadeira. A consistência da mistura deve ser de mingau ralo. Aos poucos, aumente a quantidade de farinha para cinco a oito colheres de sopa, deixando a consistência mais espessa. Como o mingau é uma excelente fonte de ferro, recomendamos que você continue a servi-lo pelo menos uma vez por dia até o fim do primeiro ano.

Os legumes

Seu bebê deve receber três porções de mingau ao dia durante duas semanas antes de você incluir os legumes na dieta dele. Cada refeição deve ser complementada com leite do peito ou mamadeira. As *sugestões* (e não *regras*) a seguir podem ser úteis na hora de adicionar os legumes à dieta de seu bebê. Comece com a refeição do meio-dia, incluindo primeiro os vegetais amarelos (abóbora e cenoura). Dois dias depois, ofereça um tipo diferente de abóbora. Cerca de duas semanas mais tarde, adicione os legumes verdes (ervilhas e vagens). Passadas mais duas semanas, ofereça frutas.

Cada vez que você introduzir um novo grupo de alimentos (legumes ou frutas), comece dando ao bebê apenas duas colheres de sopa do alimento novo. Em seguida, fique atento a sinais de possíveis reações alérgicas: inquietação excessiva, diarréia, erupções cutâneas e coriza. As carnes devem ser os últimos alimentos oferecidos, e você pode esperar para incluí-las na dieta quando a criança estiver completando um ano. O cardápio de seu filho ficará mais ou menos assim:

- Café-da-manhã: mingau e frutas.
- Almoço: legumes e frutas.
- Jantar: mingau, legumes e frutas.

Qual deve ser o tamanho de cada porção? Dentro de limites razoáveis, deixe que seu bebê determine isso. As quantidades apropriadas para cada idade normalmente são indicadas no rótulo das embalagens de papinhas. Em caso de dúvida, consulte o seu pediatra.

As frutas

Seu bebê precisa dos nutrientes dos legumes, que não podem ser substituídos por frutas. É mais conveniente misturar as porções de frutas no mingau. Tome cuidado com a ordem das porções. Como as frutas são naturalmente doces, as crianças as preferem no lugar no mingau e dos legumes. Assim, sugerimos que você ofereça os legumes primeiro, e depois o mingau com frutas.

O preparo de papinhas em casa

Preparar as papinhas em casa é uma alternativa simples e econômica para as papinhas prontas vendidas em supermercados. É fácil preparar legumes como ervilhas, vagens, cenouras, cará, batata-doce e abóbora, e todos podem ser congelados. Para preparar cenouras, ervilhas e vagens, cozinhe-as em água até ficarem macias. Passe-as no liquidificador, acrescentando água filtrada quando necessário. Para preparar cará, batata-doce e abóbora, asse no forno até ficarem bem macios. Remova a casca e as sementes e passe o restante no liquidificador com água filtrada. Ao preparar grandes quantidades para congelar, esterilize os recipientes. Descongele as papinhas de acordo com a necessidade. Um livro de receitas pode ser uma boa fonte de orientação para o preparo de papinhas caseiras.

Alimentos para comer com as mãos

As comidas sólidas servidas no cadeirão devem ser firmes, de modo que a criança possa pegá-las com as mãos, e não na consistência de mingau ou papinha. A capacidade de se alimentar sozinho depende do *reflexo de preensão* da criança. Quando a preensão entre o dedo indicador e o polegar de seu bebê se desenvolverem a ponto de ele poder segurar um pedaço de alimento com esses dedos (normalmente por volta dos oito meses de idade), estará pronto para ingerir alimentos de consistência firme.

É interessante observar um bebê começando a se alimentar sozinho. Os dedinhos encontram um pedaço de comida, pegam e o levam até os lábios. Em seguida, a criança usa a mão inteira para colocar o alimento na boca. Com o tempo, seu bebê aprenderá a colocar os alimentos na boca usando só os dedos. Os pais podem incentivar a criança a se alimentar usando as mãos, mas também devem estar cientes de que essa é uma fase de transição. Ela ajudará a criança a passar da dependência na alimentação para a independência com a ajuda de um talher.

Sucos

O suco de frutas é uma boa opção de líquido que você pode acrescentar à dieta do seu bebê, mas não como substituto de uma refeição. Ou seja, o suco não deve ser usado no lugar do leite materno ou da mamadeira, e a criança não precisa de suco todos os dias. A inclusão do suco na dieta do seu bebê deve começar por volta dos seis meses de idade. Recomendamos que você ofereça primeiro os sucos de maçã e uva. Depois que seu bebê completar um ano, você pode oferecer outros sucos (laranja, maracujá, caju etc.). Como os sucos vendidos prontos para beber são doces, você deve diluí-los com 50% de água. Isso deve continuar até a criança completar dois anos. Aos seis meses, comece com cerca de 100ml de suco diluído por dia. Ao longo dos seis meses seguintes, aumente para até 200ml por dia.

A princípio, você deve limitar os sucos aos horários de refeição, oferecendo-os num copo com canudinho embutido, e não na mamadeira. Na verdade, sugerimos que você evite ao máximo oferecer sucos na mamadeira. A prática indica, evidentemente, que deve se evitar colocar a criança para cochilar com uma mamadeira de suco. Os açúcares contidos na bebida podem prejudicar a dentição do bebê. Depois do primeiro ano, um copo de suco pode ser servido para a criança entre as refeições. Você pode oferecê-lo depois que seu bebê acordar do cochilo da tarde ou quando vocês estiverem fazendo compras.

Lanche

Alguns pediatras recomendam a introdução de sucos e alimentos de consistência firme, como pedaços de fruta e cereais matinais aos seis meses de idade. Lanches desse tipo são divertidos para o bebê, mas, como sempre, é preciso ter equilíbrio. O lanche não é outra refeição, portanto não exagere. Como você pode saber se está alimentando seu filho demais entre as refeições? Os hábitos alimentares do bebê serão afetados. Ele comerá pouco na refeição seguinte ou ficará excessivamente seletivo. Se uma dessas coisas acontecer, reduza a quantidade de alimentos oferecidos entre as refeições ou corte completamente os lanches. Eis algumas dicas úteis sobre os alimentos entre as refeições:

- Você não precisa oferecer lanches todos os dias.
- Seja moderado. Não deixe os lanches prejudicarem o bom apetite.
- Não use alimentos para evitar conflitos. Em geral, não é prudente tentar influenciar o comportamento da criança oferecendo-lhe algo para comer.
- Se o seu filho estiver demorando a pegar no sono, evite usar o alimento como forma de acalmá-lo.
- O lanche deve ser servido sempre no mesmo lugar — por exemplo, no bebê-conforto ou no cadeirão. Evite deixar que seu filho engatinhe ou caminhe pela casa segurando um copo de suco ou algum alimento.
- Como sugestão geral, ofereça um lanche à tarde, depois que a criança acordar do cochilo.

O bebê "enjoado"

Como todo mundo, seu bebê demonstrará certas preferências. Mas não se apresse em dizer "ele não gostou disso" e oferecer outra coisa. Geralmente, você dará ao seu bebê aquilo que ele gosta, mas é importante considerar aquilo que supre as necessidades e os desejos da família toda. Na idade apropriada, ofereça ao seu filho os mesmos alimentos que sua família costuma comer.

Muitas pessoas enjoadas para comer não nasceram assim. Como pai ou mãe, avalie sua relação com a comida. Você se preocupa demais com a questão da nutrição? Você é enjoado para comer? Talvez você goste só de guloseimas. Por mais difícil que seja, procure não transmitir para a criança nenhuma preocupação exagerada com a alimentação. As refeições em família e a mesa da cozinha não devem se tornar uma zona de guerra; procure tornar as refeições uma experiência agradável para todos. Eis algumas sugestões divididas por faixa etária que podem ajudar a tornar as refeições em família mais aprazíveis.

Até os seis meses. Se possível, acomode seu filho no bebê-conforto e coloque-o perto de você junto à mesa. Ver e ouvir a família são experiências importantes para estabelecer a identidade familiar desde o início. Haverá algumas ocasiões em que a hora da refeição para o resto da família será a hora de o bebê brincar no cercadinho.

Dos seis aos doze meses (ou até a criança poder se alimentar sozinha). Nessa idade, o bebê pode comer sua refeição principal do dia antes de o restante da família jantar. Então, enquanto todos se reúnem ao redor da mesa, o bebê pode ficar sentado no cadeirão comendo pedaços pequenos de frutas ou um pouco de cereal matinal. Agora, todos estão participando e a mãe também pode desfrutar sua refeição.

De doze meses em diante. A hora da refeição em família deve ser caracterizada pela presença de todos comendo juntos. Para manter o jantar agradável, concentre seus esforços em tratar dos problemas relacionados ao cadeirão na hora do café da manhã e do almoço. Isso não quer dizer que você não corrigirá seu bebê durante o jantar, mas o enfoque da correção nas outras refeições pode ajudar a acelerar o processo de obter harmonia na hora do jantar.

O desmame

Segundo definições atuais, o desmame é o processo pelo qual os pais oferecem suplementos alimentares em substituição ou além do leite materno. Esse processo se inicia no momento em que os pais usam leite em pó pela primeira vez ou quando a criança experimenta mingau. A partir desse momento, o desmame é um processo gradativo.

Do peito

A duração da amamentação já variou de extremos que vão desde o nascimento até os quinze anos de idade. Ninguém sabe dizer ao certo a idade ideal para o desmame. Para alguns, pode ser seis meses; para outros, um ano. Amamentar mais de um ano é uma questão de preferência, uma vez que normalmente há alternativas adequadas para o leite materno. Nos tempos bíblicos, a criança era desmamada entre 18 e 24 meses; três anos era mais exceção do que regra.

Ao nascer, os bebês dependem inteiramente do cuidado de outros para o suprimento de suas necessidades físicas. No entanto, devem se mover gradativamente em direção à independência, um passo pequeno de cada vez. Um desses passos é a capacidade de se alimentar sozinho. Uma das maneiras de começar é eliminando uma mamada de cada vez, deixando passar três ou quatro dias antes de eliminar a mamada seguinte. Esse período permite que o corpo da mãe reduza apropriadamente a produção de leite.

Normalmente, a mamada mais fácil de eliminar primeiro é a do fim da tarde, uma vez que é uma parte do dia com mais atividades. Substitua cada mamada com 180ml a 240ml (dependendo da idade da criança) de leite para bebê preparado conforme as instruções do produto. Normalmente, os pediatras recomendam que os pais não dêem leite de vaca para a criança antes dos doze meses. Se seu bebê tem nove meses ou mais, considere a possibilidade de passar direto para um copinho próprio para ele, em vez de usar a mamadeira. A transição será mais fácil se você tiver introduzido o uso do copinho antes do desmame.

Da mamadeira

Quando seu bebê completar um ano de idade, você pode começar a desmamá-lo da mamadeira. Apesar de ser possível a criança criar uma ligação forte com a mamadeira, você pode minimizar esse problema não permitindo que seu bebê segure a mamadeira por longos períodos. Há uma diferença entre tomar a mamadeira e brincar com ela. Você pode começar a oferecer o copinho assim que seu filho completar seis meses. Se o bebê se familiarizar logo com o copinho, o processo de transição será mais fácil. O desmame é um processo demorado. Portanto, seja paciente. Comece a eliminar a mamadeira uma refeição de cada vez.

Resumo

Estabelecer bons hábitos de alimentação pode ser a faceta mais fácil da educação da criança. Quanto mais definidas forem a dieta e a rotina de alimentação — com base na orientação dos pais, e não na vontade da criança —, mais tranqüilo será o processo. A inclusão de alimentos sólidos na dieta de seu bebê é uma parte natural do processo de crescimento. Mesmo no que se refere à adição desses alimentos, lembre-se de educar a criança para que ela não precise ser reeducada depois.

Perguntas para revisão

1. Durante a fase de rotina estendida do dia de seu bebê, quantas vezes você deve alimentá-lo?
2. Em geral, quando os pais devem incluir alimentos sólidos na dieta do bebê?

3. Que hábitos alimentares incorretos atrapalham o ciclo de fome e a estabilização dos períodos em que seu filho dorme e fica acordado? Explique.
4. Quando e como os pais devem introduzir legumes na dieta do bebê?
5. O que os pais devem oferecer primeiro para o bebê: frutas ou legumes? Explique.
6. Quais são os dois fatores que determinam a capacidade do bebê de se alimentar sozinho?

4

As boas maneiras no cadeirão

SE VOCÊ CONTAR DIREITINHO, verá que seu bebê passa várias horas por semana no cadeirão. Aproveite esse tempo transformando-o numa oportunidade de aprendizagem. Como em vários outros aspectos do desenvolvimento infantil, é preciso lidar com influências constantes e variáveis. Os pais são a influência constante na educação moral. Seja na hora das refeições, de brincar ou de ficar no quarto, eles devem manter um nível constante de expectativas em relação ao comportamento do filho. As instruções "não jogue sua comida no chão" e "não mexa no aparelho de som", por exemplo, diferem apenas quanto à natureza da atividade, e não quanto ao nível de expectativa dos pais. O elemento variável é o modo ou tipo de infração, mas o elemento constante é o nível de expectativa dos pais. O "não" do cadeirão deve ser o mesmo "não" da sala de estar.

Muitas vezes, os pais de crianças com até quinze meses isolam atos individuais de comportamento, em vez de verem sua necessidade de coerência como parte do mesmo processo. Apesar de os contextos e as atividades variarem, os pais atuam como uma influência constante que traz a cada situação a coerência necessária para o desenvolvimento e o crescimento ordenados.

Quando houver um problema durante a refeição, procure se lembrar se outros conflitos ocorreram ao longo do dia. Será que estão relacionados? Será que o problema é associado apenas à comida, ou a criança age de maneira parecida em outras situações? Se, por exemplo, seu filho apresenta alguma dificuldade em deixar as mãos no lugar certo enquanto fica no cadeirão, será que também enfrenta dificuldade em não mexer nos objetos proibidos da sala de estar? Em caso afirmativo, o problema fundamental é uma falta geral de autocontrole, e não apenas uma dificuldade na hora da refeição.

Se você exigir um padrão durante a refeição, o mesmo nível de expectativa deve estar presente em outras ocasiões e atividades. Semelhantemente, se você exigir obediência em outros contextos, mas não durante as refeições, o resultado será confusão e frustração.

O autocontrole no uso das mãos

Você é um participante ativo do processo de desenvolvimento cognitivo (processo por meio do qual pensamentos são transformados em ações) de seu filho. Não é prudente adiar a educação na esperança de que o processo se tornará mais fácil com o passar do tempo. Tratar um problema "depois" normalmente significa retroceder. Transforme estas palavras em lema na educação de seu filho: *Eduque, não reeduque.*

O bebê e a mãe ou o pai passarão bastante tempo juntos durante as refeições, por isso pense nessas horas como oportunidades para ensinar habilidades básicas. Por exemplo, ensine seu bebê a usar as mãos e a voz de forma apropriada e comece desde cedo a treinar as boas maneiras à mesa. Um bebê aprende através de instruções e restrições. Em termos de restrição, não permita que o bebê use as mãos para comer papinha — a comida normalmente acaba mais no rosto e no cabelo do que na boca. Além disso, seu bebê não precisa segurar o talher que você está usando para lhe dar de comer. Trata-se de exemplos simples de comportamentos que precisam de restrição. Maus hábitos que começam cedo precisam ser corrigidos depois.

Se for necessário, segure as mãos do bebê longe da comida. Melhor ainda, ensine onde ele deve colocar as mãos enquanto é alimentado. Se o seu bebê aprender a controlar as mãos, você será poupado de uma série de dificuldades. Muitas vezes, os pais começam a educar de forma *reativa* e restritiva, em vez de *proativa* e diretiva. Por exemplo, o bebê que coloca as mãos na boca cheia de comida e depois as passa no cabelo e na camiseta recebe uma correção de sua mãe frustrada, que se vê obrigada, então, a restringir as ações da criança.

A restrição de comportamentos que antes eram permitidos sempre torna a obediência mais difícil. Ensine a criança e depois lhe dê mais liberdade. Não permita liberdades que, mais tarde, precisarão ser restringidas. No exemplo anterior, a mãe não está controlando e promovendo o comportamento certo, mas apenas correndo atrás do prejuízo do comportamento errado.

A importância da instrução verbal

É possível que você esteja se perguntando quanto das suas instruções verbais seu bebê entende. A verdade é que provavelmente ele entende mais do que você imagina. A essa altura, a capacidade de compreensão está se desenvolvendo rapidamente. Vejamos as três fases de compreensão e domínio de vocabulário.

A primeira fase é a *compreensão do vocabulário*. Ou seja, a criança entende os significados das palavras muito antes de conseguir articulá-las. Seu bebê de seis meses acenará ou baterá palmas quando você o incentivar a fazê-lo. Com oito meses, seu filho já possui uma compreensão enorme do vocabulário e demonstra isso respondendo a instruções como "venha com a mamãe", "sente-se", "jogue um beijinho", "abrace sua boneca", "olhe o avião", "passe a mão no gatinho", "dê tchauzinho" e assim por diante. Seu filho responde porque compreende, mas ainda não aprendeu a falar essas palavras que entende.

A *articulação do vocabulário* é o segundo nível desse processo e normalmente se desenvolve por volta dos doze meses de idade. Nessa idade, seu bebê começará a fazer vários sons, dirigindo-se a um brinquedo ou outra criança. Esses sons *significam* algo para a criança. São pensamentos expressos na forma de palavras ainda não organizadas.

A *leitura* é o terceiro nível de desenvolvimento do vocabulário. Inicia-se por volta dos dois anos e meio de idade, quando a criança começa a reconhecer e formar letras. (Para uma explicação mais detalhada do desenvolvimento da linguagem, veja o Apêndice A.)

Seu bebê está pronto para aprender. Ao mesmo tempo em que lhe dá instruções verbais pacientemente, mostre-lhe exatamente o que espera dele. Se, por exemplo, você deseja ensinar seu filho onde deve colocar as mãos durante a refeição, pegue as mãos do bebê e coloque-as, uma de cada lado, sobre a bandeja do cadeirão ou debaixo da bandeja, sobre o colo dele. Você pode dizer: "Coloque as mãos sobre a bandeja, por favor" e, ao mesmo tempo, usar suas mãos para colocar as do bebê no lugar certo.

As vantagens de um bebê deixar as mãos no lugar certo ficam mais evidentes ao considerarmos os comportamentos errados resultantes de uma criança que não sabe como fazer isso. (Só um exemplo: uma criança batendo na tigela de papinha e jogando purê de batata com cenoura na roupa da mãe.) Lembre-se de que a educação correta desde o princípio elimina a necessidade de corrigir comportamentos errados depois. Seja paciente com seu filho, mas, acima de tudo, seja *proativo* nesse processo, pois a educação correta não é algo que acontece por conta própria.

Métodos de correção

Os pais são responsáveis por ensinar a criança. A palavra "ensinar" significa iniciar, determinar os padrões, levar alguém a aprender. O objetivo da educação da criança no primeiro ano não é impedir que ela explore o mundo ao seu redor, mas sim, ajudá-la a desenvolver padrões corretos de comportamento que lhe permitam aprender sobre a vida. Esses padrões incluem prestar atenção e concentrar-se naquilo que está fazendo, duas habilidades fundamentais para a vida. Você começou esse processo estabelecendo uma rotina básica, e dará continuidade incentivando seu filho a ter um comportamento apropriado e corrigindo o comportamento errado.

Na fase de desenvolvimento que corresponde ao primeiro ano de vida, os comportamentos errados que precisam ser corrigidos são, a princípio, incorretos em termos funcionais, e não morais. Ainda assim, os pais precisam corrigir esses padrões errados de comportamento e estimular os padrões certos. Isso porque a criança dessa idade ainda não sabe distinguir entre o certo e o errado e entre os comportamentos aceitáveis e inaceitáveis. Nessa fase, o cadeirão pode oferecer várias oportunidades de ensinar a criança.

O cadeirão: a necessidade desse móvel pressupõe que o bebê já tem a capacidade física de permanecer sentado durante uma refeição mais longa e idade suficiente para associar seu comportamento às reações dos pais. Portanto, o método apropriado de correção e os limites adequados necessários para alcançar seus objetivos na educação do bebê devem corresponder ao estágio de desenvolvimento físico e à compreensão apropriada para a faixa etária de seu filho. As recomendações a seguir são para crianças com até doze meses. Sugerimos que, nessa idade, sejam usados os seguintes métodos de correção para tratar dos problemas relacionados ao cadeirão e outras áreas:

Correção verbal. Exige o exercício da autoridade verbal.

Isolamento no berço. Remover a criança de uma situação ou lugar de conflito e colocá-la no berço. Bebês de dez meses são capazes de aprender rapidamente as relações de causa e efeito. Também podem aprender que as expectativas quanto ao comportamento não são negociáveis.

Perda de um privilégio ou brinquedo. Uma conseqüência lógica que também é um método eficaz. O propósito do uso da conseqüência lógica com uma criança dessa faixa etária é reforçar as instruções verbais.

Um aperto da mão variando de leve a moderado. Um fato inegável é que o desconforto chama a atenção do ser humano mais rapidamente do que qualquer outra coisa. Aplicar o desconforto moderado como método de correção deve ser reservado para as crianças mais velhas dentro dessa faixa etária (até doze meses) e que se movimentam mais, tocando coisas que não devem. Não deve ser usado como castigo, mas como forma de chamar a atenção. Quando acompanhado de uma correção verbal, esse aperto da mão serve para *impedir* comportamentos errados ou perigosos.

O uso desses métodos com o propósito expresso de chamar a atenção para uma limitação não deixará seu filho psicologicamente traumatizado, não afetará sua auto-estima, não ensinará que ele pode bater em outras crianças, não incentivará a violência nem o transformará num adulto que abusará dos próprios filhos. No entanto, instilará uma consciência saudável de domínio próprio.

O castigo físico, conforme usado em nossa sociedade, não é uma forma aceitável de correção na fase de desenvolvimento correspondente aos primeiros quinze meses. Caso se opte por esse tipo de correção, ele deve ser utilizado bem mais tarde. Por ora, basta dizer que o uso de repreensões verbais, isolamento, perda de privilégio e um aperto da mão são disciplinas apropriadas durante o primeiro ano. Ao passarmos para o restante deste capítulo, considerando os métodos apropriados para a correção das crianças nessa faixa etária, lembre-se sempre de seu objetivo maior: ajudar seu filho a obter um autocontrole apropriado para a idade dele.

A rotina de seu bebê nos primeiros meses criou uma base extremamente importante para a fase que vai até o 15º mês. Nos próximos seis a oito meses, os pais deverão fortalecer essa base e desenvolver a educação a partir dela a fim de ajudar a criança a receber e processar a grande quantidade de informações com as quais é bombardeada durante o estágio de sociabilização que se estende dos catorze aos quarenta meses. Grande parte do seu sucesso durante os anos da primeira infância será decorrente da educação nesse primeiro ano de vida. Não perca as oportunidades críticas de aprendizagem durante esses doze meses. Os resultados de longo prazo da educação correta são maravilhosos.

Problemas comuns relacionados ao cadeirão

Pense nos seguintes problemas relacionados ao cadeirão como oportunidades de ensinar coisas novas a seu filho. As formas de infração variam (apesar de estarem relacionadas), mas os métodos de correção normalmente são os mesmos. Dentre as infrações relacionadas ao cadeirão, podemos citar: virar o prato, deixar a comida cair ou jogá-la no chão, brincar com a comida, colocar as mãos cheias de comida no cabelo, bater na bandeja, ficar em pé no cadeirão, arcar as costas, fazer bolhas com a comida, gritar etc.

Esses comportamentos possuem um denominador comum (o cadeirão e a hora da refeição); também prevêem uma forma de correção comum. Para demonstrar isso, consideremos os dois primeiros problemas: virar o prato e deixar a comida cair intencionalmente do cadeirão. Ao trabalhar para corrigir um comportamento novo, porém errado, ou para evitar a formação de um mau hábito, lembre-se de que *a correção apropriada é sempre coerente.* A coerência contribui para o processo de aprendizagem, especialmente durante os primeiros quinze meses.

Virar o prato e jogar comida do cadeirão

Os pais devem colocar os alimentos sólidos cortados em pedaços pequenos diretamente na bandeja do cadeirão ou num prato. Quando esses alimentos são colocados num prato, uma tentação comum e interessante para a criança é pegar o prato e virá-lo, espalhando o seu conteúdo. Não permita que isso se torne um hábito. A hora da refeição não é hora de brincar. Uma instrução firme — "Não mexa com o prato, pegue apenas a comida" — é o ponto de partida para ensinar e corrigir. Se você permitir que seu filho mexa com o prato, mesmo que não deixe a comida cair, terá concedido uma liberdade desnecessária que servirá apenas para aproximá-lo do comportamento errado e afastá-lo do comportamento certo. Deixar que seu filho brinque com um prato de comida não traz nenhum benefício para o desenvolvimento. Uma preocupação comum é não reprimir a criatividade da criança. Isso não acontecerá. Virar o prato e jogar comida no chão não são atos de criatividade. São comportamentos errados. A criatividade deve ser produtiva e benéfica, e não destrutiva.

Às vezes, a criança deixa comida cair acidentalmente. Quando isso acontece, é preciso orientar, e não corrigir. Mas e quanto a deixar os alimentos caírem propositadamente ou jogá-los do cadeirão? Esses atos precisam ser corrigidos. Alguns pais tomam atitudes extremas para evitar conflitos ao invés de ensinar os filhos a ter autocontrole. Convictos de que é demais esperar que uma criança tenha um comportamento simples de domínio próprio, esses pais permitem certas liberdades comportamentais que precisarão ser corrigidas mais adiante. Chamamos a isso "criação financiada". Você só paga o preço de criar seu filho no futuro, mas o faz com juros e correção monetária. Em vez de ensinar a não jogar a comida, algumas mães permitem esse comportamento e minimizam os estragos, alterando o ambiente da criança.

Um bom exemplo disso é inflar uma piscina pequena de vinil e colocá-la sob o cadeirão. Assim, a criança pode se divertir com a comida e o chão da cozinha continua limpo (até a criança aprender a jogar a comida fora do perímetro da piscina). Embora a mãe consiga evitar o conflito (ainda que temporariamente), não insistindo num padrão de comportamento, ela também perde a oportunidade maravilhosa de ensinar o autocontrole. Com esse tipo de manipulação do ambiente, não existe uma urgência de ensinar à criança o comportamento correto durante as refeições. Esse tipo de abordagem geralmente produz um efeito contrário ao desejado pelos pais. O autocontrole que normalmente é aprendido pela manipulação dos alimentos é o mesmo autocontrole necessário para a vida fora da cozinha e que orientará a criança mais tarde. As oportunidades perdidas de ensinar a criança redundam num crescimento intelectual mais lento.

É possível ensinar seu filho a não jogar a comida no chão tratando imediatamente dessa infração. Comece corrigindo-o verbalmente. Em seguida, aperte a mão dele para garantir que está prestando atenção enquanto você mostra o que essa mãozinha acabou de fazer. Por último, se suas instruções forem completamente ignoradas, isole seu filho no berço. Ele reclamará dessa conseqüência, mas quando o período de isolamento tiver terminado, coloque o bebê de volta no cadeirão e tente outra vez. Se o seu filho persistir nesse comportamento (como alguns fazem), pode ser a hora de encerrar a refeição e colocar o bebê para cochilar. Uma coisa é certa: *as conseqüências imediatas e coerentes aceleram o processo de aprendizagem.* Em outros tempos, os educadores se preocupavam com os pais que estimulavam demais a aprendizagem dos filhos. Hoje, nos preocupamos com pais que não a estimulam o suficiente.

Os princípios de correção para a atitude de virar o prato e jogar comida valem para todas as outras infrações relacionadas anteriormente. Por exemplo, a criança que brinca com a comida (amassando-a desnecessariamente), fica em pé no cadeirão ou bate a colher na bandeja recebe primeiro uma correção verbal (usando uma voz calma, porém firme) e, se necessário, é removida do cadeirão. É bem possível que a hora do almoço tenha terminado. Também neste caso, suas opções de correção são limitadas pela idade da criança.

Se a criança fizer bolhas com a comida ou cuspi-la, coloque um dos dedos de leve sobre a boca do bebê e diga em tom sério: "Não! Deixe a comida dentro da boca". Se for necessária mais uma correção, o próximo passo será o isolamento no berço. Você pode contar que seu bebê, especialmente aquele que começou a ser educado segundo os princípios apresentados em *Nana nenê*, reagirá a esses métodos de correção com resultados positivos.

Choramingar

Choramingar é uma forma inaceitável de comunicação que pode se tornar bastante irritante. Trata-se de uma peculiaridade adquirida, e não de um sinal de advertência de problemas emocionais profundos. Em que idade a criança começa a choramingar? Pode acontecer assim que ela começa a comunicar idéias. Ainda que, a princípio, não sejam intensos nem rebeldes, os períodos em que a criança choraminga podem se tornar um mau hábito ou instrumento de manipulação, caso não sejam tratados logo. A maneira mais comum de os pais reforçarem esse hábito é ceder quando a criança começa a choramingar.

Antes dos quinze meses de idade, choramingar pode refletir um vocabulário limitado. Se, por exemplo, seu bebê quer mais comida, ele pode choramingar para indicar esse desejo. Nesse estágio, choramingar não é um protesto nem um desafio à sua autoridade. A boa notícia é que, se você tratar corretamente do hábito de choramingar no cadeirão, estará, ao mesmo tempo, prevenindo o mau hábito de choramingar como problema comportamental na primeira e na segunda infância.

Formas alternativas de comunicação

A raiz do problema nessa idade não é o ato de choramingar em si, mas a falta de formas alternativas de comunicação. As crianças entre oito e doze meses são mentalmente capazes de se comunicar, mas ainda não conseguem fazê-lo verbalmente. A fim de evitar que a criança fique choramingando e de facilitar a aquisição de habilidades verbais, por volta dos oito meses comece a ensinar seu bebê a se comunicar usando a linguagem de sinais. Nunca é cedo demais para enfatizar "por favor" e "obrigado". Lembre-se que a compreensão verbal do seu filho antecede a articulação do vocabulário. Você pode lhe ensinar expressões como "por favor", "obrigado", "pare", "mais comida" e "pronto".

Trabalhe com uma expressão de cada vez, movendo a mão da criança enquanto você verbaliza. Comece com "por favor", acrescentando o nome do item desejado. Por exemplo, "por favor, mais queijo", "por favor, mais fruta", "por favor, mais suco". Quando você perceber que seu filho entende o sinal, mas se recusa a repeti-lo, use as conseqüências naturais para reforçar a resposta correta. Se, por exemplo, ele quer mais comida, não dê enquanto ele não sinalizar "por favor". Se quiser descer, deixe-o no cadeirão. Ao se ver envolvido numa disputa por poder, isole a criança em vez de lhe dar a oportunidade de desafiar você diretamente. Eis quatro motivos para ensinar seu bebê a usar a linguagem de sinais:

- Você está ensinando e reforçando hábitos de autocontrole.
- Os sinais eliminam os métodos inapropriados de comunicação, oferecendo métodos corretos de expressão.
- O uso de sinais ajuda numa correção ocasional futura. Haverá ocasiões em que você não poderá corrigir seu filho em público ou verbalmente. O silêncio que os sinais permitem, junto com as expressões faciais do pai ou da mãe, comunicam o mesmo significado da correção verbal.
- Na verdade, você estará ensinando uma segunda língua para a criança durante uma fase da vida em que ela se encontra mais receptiva para a formação da linguagem.

Não se surpreenda se você sentir resistência ao pegar o braço de sua criança para lhe mostrar como sinalizar. Essa demonstração de autonomia pode ser vista claramente na criança desde os sete meses de idade. Uma mãe comentou conosco que ficou bastante surpresa quando pegou a mão da filha de sete meses para lhe mostrar como fazer o sinal de "por favor" e sentiu que ela estava resistindo abertamente à tentativa da mãe de orientá-la. "Fiquei espantada como ela resistiu e tentou brigar comigo. Percebi que essa era uma das primeiras batalhas que eu precisaria vencer como mãe. Fiquei firme e, depois de uma semana, minha filha estava sinalizando 'por favor' por iniciativa própria e toda contente. O mais impressionante foi a lição que aprendi: a sua *rendição* deu lugar à sua própria felicidade".

A capacidade da criança de se comunicar surpreendeu tanto os pais quanto outras pessoas ao redor do bebê. A mãe prosseguiu seu relato. "Agora que ela está com vinte meses, sinaliza 'por favor', 'obrigada', 'mais', 'pronto', 'mamãe', 'papai' e 'eu te amo', e além disso está desenvolvendo suas habilidades verbais".

Os benefícios do uso da linguagem de sinais desde o início podem ser sentidos no futuro. Eric, um garotinho de três anos de idade, recebeu um presente de aniversário de uma senhora. O papel vermelho do embrulho atraiu a atenção do garotinho de imediato. A mãe dele, que estava atrás da senhora que dera o presente, aproveitou quando seu olhar cruzou com o do filho e sinalizou discretamente "obrigado" para ele. Eric, por sua vez, virou-se para a senhora Ezzo, que entregara o presente e, com um grande sorriso no rosto, "disse" claramente: "Obrigado, senhora Ezzo". Esse tipo de uso ocasional de sinais é muito melhor do que a lembrança verbal que os pais costumam usar: "Eric, o que se diz à senhora Ezzo?". Ensine seu bebê a usar sinais, mas faça-o com calma, seja coerente e, acima de tudo, paciente. Você e seu filho chegarão lá.

Resumo

Alguns pais consideram seu dever fazer os filhos felizes, sem admitir que, em muitas ocasiões, isso pode privar seus pequeninos da força que vem das restrições prudentes e das correções feitas com amor. O comportamento durante as refeições oferece oportunidades de crescimento e aprendizagem de autocontrole. Não se furte de qualquer oportunidade de ensinar algo a seu filho.

Perguntas para revisão

1. Qual é o objetivo da educação da criança nos primeiros quinze meses? Qual não é o objetivo?
2. Relacione e descreva as três fases da compreensão de vocabulário.
3. Cite e descreva em poucas palavras os quatro métodos de disciplina corretiva apropriados para crianças de até doze meses.
4. Na educação corretiva, o que acelera o processo de aprendizagem?
5. O que significa a expressão "criação financiada"?

5

Atividades enquanto o bebê está acordado

NO TRABALHO DE CONSTRUÇÃO, seja de um prédio, seja da substância moral do coração humano, é essencial lançar alicerces firmes. A educação desfavorável ou inadequada durante o primeiro ano de desenvolvimento pode ser prejudicial para o desenvolvimento físico e mental. É por isso que a definição dos padrões corretos de comportamento é fundamental para todo o potencial humano. Os pais devem atentar não apenas para *o que* é transmitido, mas também para *como* isso é transmitido.

Permitir que a criança cresça fazendo o que quer, sem impor exigências ou limitações criadas para levá-la a respeitar um conjunto razoável de padrões, não é justo para ela. As crianças precisam de mais orientação nos primeiros estágios da aprendizagem, quando as bases estão sendo formadas. Se os pais derem um rumo certo para o filho e, através do controle paterno e materno amoroso, estimularem a criança a seguir esse rumo, é pouco provável que ela se desvie e bastante provável que progrida rapidamente no processo de aprendizagem.

A definição de padrões corretos de aprendizagem desde o início tem um papel cada vez mais importante no desenvolvimento da criança nos primeiros quinze meses. Em última análise, os padrões corretos afetam a maneira como a criança lida com a instrução, orientação, correção, limitação, liberdade e um número cada vez maior de novos relacionamentos. À medida que a criança cresce, seu mundo vai se desenvolvendo e se tornando mais complexo. Assim, a forma como a criança assimila o conhecimento e aprende a responder às orientações dos pais é fundamental para todo o crescimento futuro.

Deficiências no ambiente de desenvolvimento

As deficiências no ambiente de desenvolvimento não se referem à falta de oportunidades de aprendizagem, mas à ausência de oportunidades *ideais* de aprendizagem. O ambiente da criança determina, em grande medida, os seus padrões de aprendizagem. A nosso ver, as deficiências nessa área ocorrem quando os pais consideram os desejos impetuosos e momentâneos da criança na primeira infância a sua principal fonte de aprendizagem. Permitir, por exemplo, que uma criança engatinhe ou ande pela casa livremente, sem diretrizes, orientações ou restrições, é uma forma duvidosa de aprendizagem. Nesse ambiente, a aprendizagem é, com freqüência, acidental e fora do contexto do mundo da criança nos primeiros quinze meses.

A teoria não restritiva de permitir que a criança explore livremente sugere que o conceito de aprendizagem por tentativa e erro num ambiente não estruturado (no qual os pais simplesmente *facilitam* a aprendizagem em vez de *ensinar* o conhecimento) é o melhor método de ensino. Isso não é verdade. A exploração independente e a tentativa e erro são inferiores à orientação estruturada acompanhada do ensino proativo. Permitir que a aprendizagem por tentativa e erro se torne a principal fonte de educação, mesmo para uma criança com menos de quinze meses, é algo extremamente demorado e, muitas vezes, não produz resultados satisfatórios. A educação por tentativa e erro costuma criar ambientes de aprendizagem de escopo mais amplo do que as capacidades intelectuais da criança e promover padrões de desenvolvimento que tornarão necessário reeducá-la mais adiante.

As crianças na primeira infância precisam de direção e orientação dos pais. Devem aprender respostas corretas e específicas para situações específicas, e então serão capazes de transferir os conceitos aprendidos para outros contextos. Exemplos disso são orientações como: "Não jogue comida no chão"; "Não mexa no aparelho de som". Essas ações são diferentes, mas a resposta desejada em ambos os casos é a mesma: a submissão à instrução dos pais. Se eles reforçarem suas instruções na sala de estar, mas não na cozinha, a criança ficará confusa sobre o que os pais esperam e o que permitem.

Oportunidades planejadas de aprendizagem

Oportunidades de aprendizagem podem ser, em sua maior parte, resultantes de planejamento, e não do acaso. Padrões saudáveis de aprendizagem são formados quando os pais oferecem o ambiente de aprendizagem apropriado — um ambiente no qual estímulos controlados (os fatores que normalmente despertam a curiosidade e o desejo de investigar) fazem parte do cotidiano do bebê. Para isso, planeje algumas atividades estruturadas para as horas em que seu filho está acordado. Algumas dessas oportunidades são: 1) horário para o bebê brincar sozinho; 2) horário para brincar com os membros da família; 3) horário para o bebê brincar à vontade.

Horário estruturado para o bebê brincar sozinho

A nosso ver, as brincadeiras contribuem para o processo de aprendizagem. Mas o interesse espontâneo que as crianças demonstram durante a primeira infância não é a única influência em suas brincadeiras, uma vez que, em grande medida, os pais controlam o ambiente onde elas aprendem. Por esse motivo, é necessário haver ambientes de aprendizagem estruturados e não estruturados. O horário estruturado é um momento específico do dia em que a criança tem tempo de brincar sozinha. Começa nos primeiros meses, com o uso do cercadinho, e progride até o tempo de brincar no quarto (trataremos do segundo caso mais adiante neste capítulo).

Horário no cercadinho

Muitos pais usam o cercadinho como forma de confinamento, para controlar temporariamente o ambiente do filho. Apesar de este ser um uso legítimo para o cercadinho, não deve ser sua função principal. Os benefícios de longo prazo resultantes do uso do cercadinho ficarão evidentes nos anos posteriores. Aos seis meses de idade, o bebê deve ser colocado no cercadinho ocasionalmente para cochilar ou, numa ocasião em que viajar com a família, para dormir nele. O cercadinho é um elemento essencial para a segurança de seu bebê e um instrumento eficaz para a aprendizagem, pois promove as habilidades mais básicas: sentar-se, prestar atenção e concentrar-se.

Por que usar um cercadinho?

O uso do cercadinho traz vários benefícios práticos:

Oferece um ambiente seguro. O cercadinho é um lugar seguro para colocar seu bebê quando você precisar dar atenção a alguma outra coisa e não é hora de o bebê cochilar. Permite que você tome banho, tire as compras do carro, cuide das outras crianças e realize uma porção de atividades enquanto seu bebê está seguro.

Serve de cama portátil. O cercadinho pode servir de cama portátil, o que é especialmente útil quando você está visitando outra família. Dá ao bebê um lugar limpo e conhecido para dormir.

3. *Oferece um centro de aprendizagem estruturado.* E, o que é mais importante: a aprendizagem estruturada inicial de seu bebê se dá no cercadinho. A relação da criança com seu cercadinho promove habilidades intelectuais fundamentais. Períodos diários planejados no cercadinho permitem que os pequeninos tenham a oportunidade de se desenvolver de várias maneiras. Vejamos algumas delas:

- Capacidade mental de concentração: o cercadinho ajuda a criança a se concentrar numa atividade ou num objeto próximo dela sem se distrair constantemente.
- Períodos longos de atenção: você verá como seu filho pega um brinquedo, segura, examina com cuidado, sacode e depois repete o processo.
- Criatividade: é resultante de limites, e não de liberdade. Quando se tem liberdade absoluta, não é preciso pensar criativamente e resolver problemas.
- Capacidade de brincar sozinho: esse é um dos sinais claros de que seu bebê está passando da dependência para a independência.
- Organização: o primeiro passo para desenvolver a organização é ajudar seu filho na hora da arrumação. Comece colocando alguns livros num canto, um balde pequeno com brinquedos no outro ou fazendo uma pilha arrumada com outros itens. Frases simples como "vamos colocar os brinquedos no cesto" ou "ajude a mamãe a arrumar" contribuem para o processo. O objetivo é deixar o espaço organizado e envolver a criança no trabalho necessário.

Se a criança não tiver um período estipulado ou definido para brincar, pode ocorrer um atraso significativo em várias habilidades que, de outro modo, ela desenvolveria por meio dessas atividades.

Quando usar o cercadinho

Procure usar o cercadinho nos mesmos horários todos os dias, escolhendo horas em que seu bebê esteja descansando e alerta (não antes do cochilo, por exemplo). Coloque vários brinquedos interessantes ao alcance da criança, ou coloque-os em um cesto pequeno e ponha dentro do cercadinho. Use brinquedos apropriados para a idade do bebê e faça um rodízio daqueles que serão colocados no cercadinho. Para uma criança de cinco meses, um chocalho azul é fascinante; para uma de dez meses, não tem a mínima graça. Existem vários livros que explicam quais são as atividades e brinquedos que provavelmente serão mais interessantes para o seu filho em cada estágio de desenvolvimento.

Aproveitamos para comentar rapidamente sobre a escolha dos brinquedos apropriados. Um aspecto importante dessa questão é entender aquilo que *não* é brinquedo. Ferramentas, instrumentos variados, aparelhos mecânicos e as coisas da mamãe e do papai não são brinquedos. Os brincos, a carteira e o batom dentro da bolsa da mamãe (aliás, a bolsa em si) não são brinquedos. A caneta e o martelo do papai também não. O bom senso e a idade da criança devem ser suficientes para orientar os pais na escolha de brinquedos apropriados.

Se você tem gêmeos, use o cercadinho de forma alternada. Coloque uma das crianças para brincar de manhã e outra à tarde. De vez em quando, tente colocar os dois bebês ao mesmo tempo. Caso seja possível, mude o cercadinho de lugar de vez em quando. Durante a semana, por exemplo, você pode colocá-lo na sala. No fim de semana, perto da porta que dá para o quintal, onde os irmãos da criança estejam brincando.

Em dias quentes, coloque o cercadinho na varanda ou no quintal. Ele deve ficar num lugar em que você possa supervisionar a criança facilmente sem que ela possa vê-lo. Se ela puder ver os pais, acabará se distraindo e não se concentrará em brincar sozinha, o objetivo desse período. Não é justo obrigar a criança a escolher entre usar a criatividade para brincar sozinha ou os pais sentados na sala ao lado. Se você mora num apartamento pequeno, seja criativo. Você pode, por exemplo, colocar um biombo para separar uma parte da sala ou do quarto para a criança brincar.

O tempo que o bebê deve passar no cercadinho varia com a idade. Nos primeiros meses, podem ser períodos de dez a vinte minutos, duas vezes por dia. Quando o bebê conseguir ficar sentado sozinho, estenda esse período para quinze a trinta minutos duas vezes por dia. Assim que a criança começar a engatinhar, aumente o tempo para 30 a 45 minutos, pelo menos uma vez ao dia. Entre os quinze e vinte meses, seu filho pode ficar até uma hora no cercadinho ou, possivelmente, no quarto. Esses períodos são, é claro, apenas sugestões. Haverá dias em que seu filho ficará mais tempo brincando e, em outros, o período terá de ser mais curto.

Gostaríamos de dar uma palavra de advertência e estímulo: não use o cercadinho excessivamente, deixando seu bebê nele por longos períodos não planejados durante o dia. Normalmente, o horário de brincar no cercadinho deve ser uma atividade planejada, e não algo que ocupe o dia todo. Como estímulo, convém lembrar que as crianças têm uma relação de amor e ódio com os limites. Elas os detestam pelo simples fato de existirem; no entanto, gostam deles porque lhes dão segurança. Isso vale para o cercadinho. Se, a princípio, seu filho der a impressão de não gostar do cercadinho, insista; com o tempo, ele tomará gosto por esse ambiente.

Para começar agora

Se, até agora, o cercadinho não faz parte da rotina diária do seu bebê, como você pode incluí-lo? Comece com períodos curtos, talvez dez minutos por dia. Ao longo das duas semanas seguintes, estenda esses períodos para 25 minutos. Depois de um mês, tente deixar o bebê no cercadinho por 30 a 45 minutos. Pode ser que seu filho chore um pouco, mas as vantagens que essa experiência trará compensam pelas lágrimas passageiras. Se você tiver outro filho, não adie os benefícios decorrentes do tempo gasto no cercadinho.

Horário no quarto

Quando seu filho estiver com 18 a 22 meses, você pode estabelecer o *horário no quarto*. Os princípios desse horário são os mesmos do cercadinho, sendo que a área para brincar passa a ser o quarto. Esse tempo também deve ser planejado e estruturado como parte da rotina da criança. Brincar sozinha no quarto não quer dizer que a criança pode fazer o que bem entender. Ela não deve ter permissão de virar o quarto de cabeça para baixo, tirar dos armários e gavetas todos os brinquedos que estão guardados ou mudar os móveis de lugar. Pode ser necessária certa supervisão. No começo, talvez você precise colocar uma grade na entrada do quarto, mas o objetivo é deixar a criança brincar sozinha nesse ambiente por um período mais longo sem restrições físicas. À medida que seu filho desenvolver o autocontrole e demonstrar um comportamento responsável, você pode lhe conceder certas liberdades.

Pode haver ocasiões em que esse tempo não será gasto no quarto, mas em outro cômodo da casa, como, por exemplo, quando a criança tem um ou mais irmãos e essa situação não permite o estabelecimento de uma rotina para que a criança passe tempo sozinha num ambiente. Na verdade, o horário no quarto é a mesma coisa que o horário no cercadinho, com *limites expandidos*, de modo que as atividades podem ser realizadas em outra parte da casa, como um canto da cozinha. O importante é expandir os limites da criança à medida que ela se desenvolve.

Muitos pais confundem o horário no quarto com o horário para brincar à vontade (do qual trataremos adiante). O horário no quarto é definido para a criança. Algumas mães comentam conosco que seus filhos brincam sozinhos no quarto. Isso é ótimo, mas eles brincam no quarto porque a mãe mandou? Normalmente, a resposta é "não".

Só porque a criança brinca voluntariamente em seu quarto não significa que ela tem um "horário no quarto" de acordo com nossa definição desta expressão. Uma coisa é a criança fazer o que quer e quando quer; outra, é obedecer à ordem do pai ou da mãe. Sujeitar-se às ordens dos pais como comportamento *padrão* faz parte da estrutura de aprendizagem que você está tentando formar. O autocontrole inerente à obediência é o mesmo que leva a criança a progredir em outras disciplinas.

Horário com os membros da família

É evidente que algumas das atividades do bebê durante o dia incluem a interação com um ou mais membros da família. É importante desfrutar o relacionamento com seu filho, mas também é preciso encontrar o equilíbrio entre brincar com ele e se tornar sua única fonte de entretenimento. Não existe número "certo" de horas que devem ser dedicadas às brincadeiras em família. Mas se perceber que seu filho se agarra em você e se recusa a brincar com outros membros da família, ou chora quando você sai da sala, isso pode ser resultado de um tempo excessivo de brincadeira com o pai ou a mãe. Neste caso, a criança está dependendo demais de uma pessoa só como fonte de entretenimento e se sente à vontade apenas com ela. Essas situações eliminam oportunidades de outros interagirem com a criança. Eis algumas atividades das quais todos os membros da família podem participar.

Leitura. Nunca é cedo demais ler para seu filho ou lhe mostrar livros com figuras coloridas próprios para bebês (especialmente livros feitos de papel grosso ou plástico, os quais podem explorar sozinhos). Muitas crianças gostam que outros leiam para elas bem antes de conseguirem entender as palavras. O fluxo contínuo de som, as inflexões vocais e expressões faciais atraem a atenção da criança. Colocar o bebê no colo durante a leitura torna a experiência ainda mais agradável.

Banho. Esta é outra atividade da rotina de seu bebê que permite a interação. Você pode cantar para ele, dizer que parte do corpo está lavando ou simplesmente se divertir espirrando água, evitando, porém, que essa diversão fuja ao controle. Lembre-se de que o equilíbrio é o conceito-chave do ensino. Recomendamos que você dê banho no seu bebê ao invés de tomar banho com ele. Para tornar a hora do banho mais divertida, é possível colocar vários objetos na banheira, como brinquedos de plástico, uma xícara ou uma colher.

Caminhadas. A caminhada é uma ótima atividade para realizar com seu filho. Aos seis meses de idade, seu bebê começa a se fascinar com os tesouros da criação de Deus. Uma caminhada regular se torna uma grande aventura para a criança dessa faixa etária, e também é saudável para você.

Contato físico. Uma influência saudável no desenvolvimento emocional da criança é o tipo de contato físico decorrente das brincadeiras. A brincadeira é parte importante do crescimento da criança. O contato físico transmite intimidade, e, junto com a brincadeira, constitui uma excelente combinação. Deitar no sofá, no chão ou na cama e jogar beijos, fazer cócegas e brincar fisicamente com seu bebê são elementos necessários para a formação de um relacionamento saudável.

Horário livre para brincadeiras

Não se trata de um horário no qual você deixa seu filho andar livremente pela casa à procura de algo para entretê-lo. Antes, refere-se tanto a momentos planejados quanto improvisados em que o bebê brinca com seus brinquedos numa área reservada para esse fim. Tal área deve ser pequena e segura e ter um cesto ou uma caixa com brinquedos apropriados para a idade do bebê, que ele pode escolher à vontade. Os pais podem separar uma área assim na cozinha, no quarto, na sala de estar ou em qualquer lugar no qual possam observar o filho à distância. Mantenha a maioria dos brinquedos do bebê nesse local específico. Se a área de brincar de seu filho fica na cozinha, isso não quer dizer que ele não deva ter brinquedos no quarto dele. Significa, porém, que os brinquedos não ficam espalhados pela casa, ao sabor da conveniência da criança.

É importante que a criança brinque. A repetição de atividades lúdicas dá a ela a oportunidade de desenvolver e consolidar as habilidades que determinados tipos de brincadeira exigem. Também permite que a criança solucione problemas mecânicos com seus brinquedos. Por exemplo, a criança tem uma caixa registradora de brinquedo e a encontra com a gaveta aberta. Ela fecha a gaveta e não sabe como abri-la novamente. Aqui entra em ação a tentativa e erro. Usando os dedos e sua capacidade de investigação, a criança acaba descobrindo o botão que deve apertar para abrir a gaveta. A criança usará essas técnicas de resolver problemas ao longo de todo o estágio de desenvolvimento correspondente à primeira infância, desde que tenha oportunidades controladas suficientes para adquiri-las nos primeiros quinze meses de vida.

Outra habilidade orientada pelos pais é a arrumação. Terminado o horário de brincar, ajude seu filho com essa tarefa, sem tentar fazer tudo para ele. Diga: "Acabou a hora de brincar; agora é hora de arrumar. Eu vou te ajudar" ou "Vamos colocar seus brinquedos na caixa". Ao orientar a criança a colocar os brinquedos de volta no lugar, você está definindo os parâmetros do horário de brincar. Isso inclui o conceito de que o horário de brincadeira só termina quando todos os brinquedos forem guardados. Esse processo gera senso de organização e infunde na criança um senso de responsabilidade pessoal, algo de que toda sociedade necessita para sobreviver.

Até os dois anos, ofereça brinquedos simples ao seu filho. Blocos para empilhar, bolas, objetos que podem ser manipulados e livros coloridos são alguns exemplos. As brincadeiras são importantes, e o horário livre para brincadeiras é tão essencial quanto o horário de brincadeiras estruturadas no cercadinho e no quarto. Divirta-se com seu filho e deixe que ele se divirta explorando o mundo através do ato de brincar.

Resumo

As adaptações comportamentais pelas quais a criança precisa passar ao longo da vida são fortemente influenciadas pela compreensão de seu ambiente, das pessoas e de si mesma. As horas que o bebê está acordado contribuem para o crescimento e o desenvolvimento. No entanto, as atividades realizadas nesse período devem ser organizadas, e não apenas uma série de experiências livres entre as refeições e os cochilos. Quando uma criança recebe orientação para formar os padrões certos de comportamento, a aprendizagem progride.

Perguntas para revisão

1. Em última análise, o que a formação dos padrões corretos de aprendizagem produz?

2. O que são as deficiências no ambiente de desenvolvimento? Quando elas ocorrem?
3. Qual o significado desta declaração: "As oportunidades de aprendizagem devem ser, predominantemente, resultantes de planejamento, e não do acaso"?
4. Qual é a diferença entre o horário no quarto e o horário livre para brincadeiras?
5. O que é uma área de brincar?
6. Por que as brincadeiras são importantes para a criança?

6

Algumas observações sobre disciplina

É ÓBVIO QUE NENHUMA criança é dotada de autocontrole desde o nascimento, assim como um bebê não viveu tempo suficiente para saber como tomar decisões sábias. Ele precisa da orientação e do controle dos pais. Portanto, ao orientar seus filhos, os pais servem de professores, líderes e mentores. Este processo é chamado "ensino" ou "disciplina". A disciplina (ao contrário do castigo), é um processo de ensino e aprendizagem que promove o autocontrole e o desenvolvimento moral. O termo "disciplina" vem da palavra "discípulo", que significa aquele que é um aprendiz.

Ao falarmos de "disciplina infantil", estamos nos referindo ao ensino em três áreas críticas da vida:

1. Habilidades gerais.
2. Questões do coração.
3. Questões de saúde e segurança.

Em última análise, a educação em cada uma dessas áreas ajuda a criança a obter o autocontrole apropriado para sua idade, um espírito dócil, uma disposição mais favorável para a aprendizagem e uma necessidade menor de educação corretiva. A disciplina correta conduz as crianças de todas as idades a uma vida de integridade. Essa disciplina as ajudará a não ofender a outros e, ao mesmo tempo, estimulará os atos de bondade e sensibilidade moral.

Mais importante ainda, os efeitos positivos da educação saudável poderão ser observados nos resultados finais: crianças satisfeitas, seguras em seu discernimento de certo e errado e que possuem o autocontrole necessário para tomar decisões apropriadas em todas as ocasiões. Disciplinamos/ensinamos nossos filhos a fim de prepará-los para encarar as circunstâncias da vida com sabedoria.

A disciplina corretiva e a educação inicial

As bases de todo ensino são formadas logo cedo. Se você leu e seguiu os princípios sugeridos em *Nana nenê*, já viu os frutos desse ensino manifestados na rotina de seu bebê, assim como em suas noites de sono, que deixaram de ser algo que simplesmente "acontece" — você ensinou seu bebê a dormir de forma saudável. Agora, neste primeiro ano de vida de seu filho, você começará a educá-lo em outras áreas da vida à medida que seu mundo começa a se expandir.

Conforme seu filho cresce, a necessidade de orientação também aumenta. Parte dela se dá por meio do estímulo às respostas e comportamentos certos e da correção das respostas e comportamentos errados. Correção. Pode ser difícil para os pais de uma criança de menos de quinze meses sequer imaginar que a correção é necessária nessa idade tão tenra. Isso porque a correção cultural é, com freqüência, associada ao castigo, sugerindo que seu filho fez algo errado. Mas nem sempre é o caso; aliás, isso raramente acontece nessa faixa etária.

Corrigir significa simplesmente realinhar ou endireitar. Enquanto o estímulo ajuda a manter a criança na linha, a correção ajuda a recolocá-la na trilha certa quando suas mãozinhas ou pezinhos vão parar em lugares onde não deveriam estar. Neste capítulo, limitaremos nossas observações às estratégias corretivas para crianças com dez meses ou mais.

Considerando-se que a principal função da educação infantil é ensinar o comportamento responsável, os pais devem instruir, orientar e enfatizar o crescimento interior, a responsabilidade pessoal e o autocontrole. Para pais e filhos, esse processo começa cedo, na fase de desenvolvimento correspondente ao primeiro ano de vida. Educamos nossos filhos ensinando-lhes aquilo que é esperado deles. Nós os orientamos estimulando o comportamento certo e desestimulando o comportamento errado. É desse modo que se dá o crescimento interior, a formação do autocontrole e das disposições do coração.

Infelizmente, muitos pais consideram a disciplina uma forma de controlar as ações da criança a qualquer momento. A disciplina é isso também, mas vai mais além. Como afirmamos anteriormente, o principal objetivo da disciplina inicial é lançar as bases sobre as quais o desenvolvimento poderá ocorrer em três áreas da vida: habilidades gerais, saúde e segurança e conduta moral. As crianças pequenas aprendem com experiências concretas, e não com explicações dos pais, de modo que ensinamos através de instruções e reforçamos a obediência com estímulo e correção. A princípio, você incentivará e corrigirá as *ações* de seu filho. Quando ele completar dois anos, você começará a se concentrar no seu *coração* e nos primeiros estágios do processo de internalização das virtudes e valores.

Ensinando o coração

Para alguns teóricos, a educação dos filhos é uma questão de facilitar a disposição natural e impulsiva da criança, em vez de orientar ativamente a capacidade que ela virá a possuir de tomar decisões certas que beneficiem a outros. A abordagem que despreza a orientação é de natureza reativa e procura controlar o ambiente da criança na esperança de evitar todos os conflitos que a supervisão dos pais poderia causar. Sempre que você se encontra numa posição de liderança, toma suas decisões com base naquilo que é melhor e mais correto, e não naquilo que é mais agradável no momento. O mesmo princípio vale para a criação dos filhos.

Como mãe ou pai, algumas de suas principais decisões e instruções serão contrárias à vontade da criança. O que fazer, então? Sentar-se e esperar que a criança cresça e deixe o comportamento errado para trás? Subjugá-la com seu poder e vontade? Ou ensinar à criança os padrões corretos de conduta e disposições do coração? Esperamos que, para o bem de sua criança, você escolha a última opção.

Há algo no coração da criança que requer a atenção dos pais. O que será? O antigo provérbio "É natural que as crianças façam tolices" é uma descrição antropológica precisa. Significa que a criança nasce com a propensão de desafiar a liderança dos pais e procura, de forma insensata, guiar a si mesma. Tal insensatez do coração mostra que a criança está tentando agir como se fosse sábia sem ter a experiência acumulada e a sabedoria necessária. O trabalho dos pais é transformar o coração não orientado naquilo que deve ser. Tudo gira em torno de um alvo comum: tomar a insensatez (parte natural da criança) e colocar a sabedoria em seu lugar.

Infantilidade e insensatez

Não podemos começar a tratar da *insensatez* sem antes falar da questão da *infantilidade*. A insensatez é o ato consciente e deliberado de rebeldia. Você diz "não ponha a mão aí" e a criança faz exatamente o contrário. Isto é insensatez. A infantilidade, por outro lado, é associada à imaturidade inocente —

os erros que as crianças cometem porque não sabem ou não entendem a diferença entre certo e errado. A infantilidade é esperada, mas deve ser corrigida para que não se transforme em insensatez.

Quando uma criança desobedece, não se trata de infantilidade, mas de insensatez. Quando a criança comete erros inocentes, não se trata de insensatez, mas de infantilidade. Em ambos os casos, a criança precisa ser corrigida, mas o método de correção é diferente, pois a motivação do coração é diferente. Uma é rebeldia clara, a outra não. Em outras palavras, a insensatez é um problema do coração. A criança sabe o que é certo, mas escolhe fazer o que é errado. A infantilidade é um problema da mente. A criança não sabe o que é certo ou esperado. Entender essas distinções será de grande ajuda ao longo dos anos em que você estiver criando seu filho, mas especialmente na primeira infância, quando há muito mais infantilidade do que insensatez.

Tanto a infantilidade quanto a insensatez precisam ser corrigidas, mas os pais não devem corrigir todos os comportamentos errados da mesma forma ou com as mesmas conseqüências. Ao corrigir uma criança na primeira ou segunda infância, é preciso considerar quatro fatores:

- A freqüência com que determinada infração ocorre.
- O contexto da situação.
- A idade da criança.
- O comportamento geral da criança.

Considere esses quatro fatores a fim de tomar uma decisão justa quanto ao comportamento de seu filho. Ao fazê-lo, você evitará provocar seu filho e, ao mesmo tempo, oferecerá a orientação corretiva necessária.

Elementos essenciais da disciplina

Uma vez que a disciplina visa desenvolver o controle *interno*, educando a criança segundo princípios para a vida, haverá ocasiões em que os pais precisarão ser insistentes. Você deve aprender a controlar as situações para o seu bebê até que ele tenha idade, sabedoria e experiência suficientes para controlar a própria vida. Trata-se de um processo gradativo.

Por diversas ocasiões, seu filho rejeitará ou resistirá fortemente às suas instruções sensatas — geralmente por não saber que são sensatas. Por exemplo: você instrui seu filho de doze meses a não ficar em pé no cadeirão, mas ele ignora a instrução. Esse ato é influenciado por duas coisas:

1. Pela certeza equivocada que a criança tem do desejo de ficar em pé no cadeirão.
2. Pela incapacidade de entender o interesse e a responsabilidade do pai ou da mãe pela segurança dela.

O que fazer? Ensine a criança a lhe obedecer. A tarefa não é tão difícil quanto pode parecer. A verdadeira obediência é, com freqüência, mais difícil para os pais do que para as crianças, pois elas sempre reagem à decisão e às expectativas dos pais, quer sejam elevadas quer não.

Ao falarmos de obediência, não estamos nos referindo à aquiescência resultante de ameaças repetidas, subornos ou formas de manipulação que sugerem a perda do amor dos pais, ou de outro método ainda pior: o da persuasão adulta. Você não pode controlar seu filho através da argumentação persuasiva. Ele não está no mesmo nível moral e intelectual que você; é uma criança. A tentativa de arrazoar com uma criança de um ano não é nada recomendável. Lidere, oriente e guie seu filho, confiando em sua sabedoria como adulto.

Princípios de instrução

Toda educação começa com a instrução dada pelos pais. Ao considerarmos o papel da instrução desde o primeiro ano de vida até a adolescência, observamos alguns fatos e princípios elementares que podem ajudar você a ser bem-sucedido. Caso essas diretrizes sejam seguidas, podem evitar o estresse e aumentar a obediência voluntária. Caso sejam ignorados, o resultado será uma série de lutas pelo poder.

Primeiro: Ao falar com seu filho de uma forma que requer uma resposta ou ação, você deve esperar que ele reaja. As crianças agem de acordo com o nível de expectativa dos pais. Muitos pais esperam pouco e, portanto, recebem pouco. Observamos repetidamente que os pais têm mais dificuldade do que os filhos em se adaptar à exigência de que uma ordem seja obedecida da primeira vez que é dada.

Segundo: Nunca dê uma ordem que você não espera que seja obedecida. Ao dar instruções, expresse exatamente o que você deseja e faça-o com clareza. É comum este princípio ser desconsiderado. Não há melhor maneira de uma criança deixar de obedecer do que lhe dar instruções que você não pretende impor. A criança aprende rapidamente a ignorar as instruções dos pais quando não há determinação por trás das palavras. É natural que as crianças desejem correr riscos. A falta de instruções claras as incentiva a correr o risco de que você não fará nada se elas não obedecerem.

Terceiro: A disciplina saudável é sempre coerente. A criança que é corrigida de forma coerente quando deixa de obedecer é mais equilibrada do que a criança cuja disciplina é incoerente ou incompleta. A coerência oferece segurança e liberdade. A criança sabe o que é esperado e o que é proibido. A incoerência, por outro lado, produz insegurança e, pelo fato de sempre haver dúvida quanto aos limites, representa um empecilho para a aprendizagem e o potencial cognitivo. A disciplina coerente ajuda a criança a aprender que há ordem moral no mundo; certos comportamentos serão sempre seguidos de conseqüências desagradáveis ou castigo, enquanto outros comportamentos serão seguidos de elogios e estímulo.

Seja coerente na correção. A coerência mantém os pais no rumo certo em todos os estágios de desenvolvimento. A incoerência cria um número excessivo de variáveis com as quais a criança vai lidar, e você se vê obrigado a criar seu filho "fora do funil". (Tratamos do significado de "criar o filho fora do funil" no capítulo 2.) Quando os pais reduzem ou eliminam as variáveis do ambiente que não são apropriadas para o filho por causa da idade, estabelecem padrões corretos de aprendizagem com mais rapidez e firmeza. As ordens facilitam o crescimento saudável, ao contrário da liberdade excessiva, que causa confusão no desenvolvimento. Estimular e estabelecer reações corretas à sua liderança são tarefas que exigem coerência e clareza em suas instruções. A disciplina saudável é sempre coerente. Se suas instruções não forem claras e coerentes, seu filho não saberá o que fazer.

Quarto: Quando instruir seu filho face a face, exija contato visual. Você começará a fazer isso quando seu filho tiver aproximadamente um ano de idade. Ao falar com ele, insista no contato visual, que estimulará a capacidade de concentração da criança e a ajudará a processar melhor sua instrução. Quando não se exige esse contato visual direto enquanto são dadas instruções, a criança costuma ter dificuldade em obedecer.

Quinto: Entender o contexto evita que a obediência imediata se torne legalista. Se você não levar em consideração o contexto do momento, poderá julgar injustamente as ações corretas do seu filho e, em outras ocasiões, negligenciar inteiramente as ações erradas.

O reforço das instruções

À medida que seu filho começar a se movimentar mais pela casa, terá o desejo natural de explorar o ambiente. Ajude-o a se adaptar gradativamente ao seu universo cada vez maior. Os pais não devem impedir a exploração nem conceder liberdade absoluta; há um equilíbrio saudável entre esses dois extremos. A liberdade deve ser concedida de acordo com o comportamento responsável que ela requer. Para a criança que não tem autocontrole das mãos, por exemplo, a sala de estar é um lugar proibido. Depois que a criança aprender quais são as coisas que pode e as que não pode tocar e desenvolver o domínio próprio, os pais podem permitir que tenha acesso à sala de estar.

A planta no piso da lareira estava fora dos limites de Whitney, uma garotinha de oito meses. Duas tentativas e duas negativas firmes, acompanhadas de um aperto da mão e da declaração "estou falando sério", deixaram claro para Whitney que ela podia tocar na maior parte das coisas da sala, mas não na planta. Ela entendeu, aprendeu e usou o domínio próprio. Em termos de desenvolvimento, essa instrução foi importante, pois a liberdade concedida no futuro fez valer a pena o choro momentâneo de decepção.

Não tenha medo de restringir as ações de seu filho, apertando a mão dele com moderação ou mesmo dando uma palmada leve para chamar a atenção por tentar desligar o abajur da tomada. Ao usar essa prática, você não estará ensinando seu filho a ser violento, a bater em outras crianças ou a crer que o poder é imposto à força. Antes, estará ensinando a ele os limites da vida.

As pessoas costumam imaginar o que uma criança de nove ou dez meses entende de fato e por quanto tempo é capaz de lembrar de algo. É impressionante quanto a mente educada de uma criança nessa faixa etária é capaz de entender e recordar.

Um exemplo é o teste que o vovô Gary resolveu fazer com sua neta Ashley, de doze meses. Enquanto os dois estavam sentados no sofá, Gary mostrou um biscoito para a neta e depois o escondeu debaixo da almofada, pedindo que Ashley o encontrasse. A garotinha foi direto até a almofada e pegou o biscoito.

Duas semanas depois, ela foi visitar o avô outra vez. Assim que entrou na casa, correu para o sofá e levantou a almofada para procurar outro biscoito. É evidente que ficou decepcionada quando não encontrou nada. Em contrapartida, todos ficaram felizes de ver que a memória de Ashley estava funcionando muito bem. Apesar de a capacidade de recordar ser potencializada pelo prazer, os pais devem sempre ter em mente que ela também é intensificada pelo *desprazer*, do tipo que é experimentado quando os pais definem e impõem restrições.

Instruções diretivas e restritivas

À medida que a criança adquire mais mobilidade, sua capacidade mental de entender instruções básicas também se desenvolve. Ela não apenas compreende, mas é capaz de aprender a responder de forma apropriada. A instrução dos pais é *diretiva* (quando dizem à criança o que deve fazer) ou *restritiva* (quando dizem o que não deve fazer). Os dois tipos de instrução exigem a obediência imediata, que é possível porque a criança tem a capacidade de entender. Não subestime quão cedo essa habilidade se desenvolve.

Instruções diretivas. As instruções diretivas sao as que exigem uma ação. Essa resposta pode ser ensinada. Os pais podem começar chamando a atenção para uma ação certa assim que o bebê começa a dar sinais de mobilidade. Por exemplo, tão logo a criança começar a engatinhar, chame-a, vá até ela, pegue-a no colo e leve-a até onde quer que ela vá. Estimule-a verbalmente, dizendo: "Muito bem, Mary. Você está aprendendo a obedecer à mamãe". Isso ajuda seu filho a se acostumar com sua voz de comando e sua voz de elogio, que acompanha a ação correta.

À medida que seu bebê estiver se movimentando mais e você perceber que ele entende o conceito de "vir", exija a obediência. Isso pode ser feito pela combinação de palavras de estímulo, como: "Muito bem, Peter. Você está obedecendo ao papai"; ou pela aplicação das quatro formas de correção apropriadas para a idade dele.

Instruções restritivas. Um bebê de nove meses que começou a ser educado de acordo com os princípios sugeridos em *Nana nenê* consegue entender instruções restritivas básicas. Ordens simples, como "pare", "não", "não mexa" ou "não se mova" normalmente são as primeiras instruções da educação inicial. A fim de dar significado a essas ordens, "pare" deve ser "pare", "não" deve ser "não", "não mexa" deve ser "não mexa" e "fique quieto" deve ser "fique quieto". Essas quatro ordens diferentes têm um elo em comum: a exigência de obediência imediata. Quanto antes os pais instilarem a realidade da obediência imediata na criança, menos problemas comportamentais surgirão e mais liberdades a criança poderá desfrutar. A obediência é importante. Para o bem de seu filho, você deve estabelecê-la desde o começo.

Haverá ocasiões em que seu filho vai ignorar ou resistir fortemente às suas instruções. Quando isso acontecer, o que você fará? No capítulo 4 apresentamos quatro opções para reforçar as instruções apropriadas dos pais para a faixa etária do seu bebê: repreender verbalmente, isolar, retirar um privilégio (ou brinquedo) e chamar a atenção, apertando a mão. À medida que seu filho se tornar mais hábil na movimentação pela casa, essas opções deverão ser colocadas em prática a fim de que você possa controlar o comportamento impulsivo do bebê. As crianças só reagem à decisão dos pais. Qual é a *sua* decisão?

A definição de limites

Definir limites significa restringir (sem eliminar) a liberdade de uma criança no que concerne a movimento, ambiente, escolhas e palavras. Por motivos de saúde, segurança e razões morais, a definição de limites nega à criança o acesso a um objeto ou a algo que ela deseja fazer. Pode ser o botão do aparelho de som, os pêlos do cachorro, os óculos que o papai está usando ou uma caneta. O propósito de limitar seu filho não é tolher sua liberdade de explorar, mas dar liberdade dentro de limites controláveis, de acordo com seu nível de compreensão. Uma criança que tem mais liberdade do que é capaz de administrar se colocará em situações difíceis.

Isso mostra um dos muitos paradoxos do desenvolvimento: Uma criança não pode desfrutar liberdade sem ceder parte dela. Alguns pais têm medo de dizer "não" ou "não mexa" para seu filho pequeno. Não se trata de uma palavra feia, que deva ser evitada a todo custo. Para uma criança na primeira infância, é simplesmente um termo que define os limites necessários. A palavra "não" é o extremo oposto da palavra "sim". A maior parte da sua casa é um "sim" tácito, mas há objetos que a criança não deve ter permissão para mexer.

A chave para definir os limites para a criança que está se movimentando cada vez mais é não controlar inteiramente o seu ambiente, mas instilar progressivamente a resposta correta às instruções dos pais. O objetivo é ensinar a criança a reagir ao ouvir a voz dos pais (o que inclui tom e modulação), e não ao objeto. Sua voz e seu tom são os fatores constantes da correção; os objetos da sala de estar são as variáveis.

Quando seu filho estende as mãozinhas para tocar um objeto proibido, instrua com um "não" ou "não pode" firme (use sempre a mesma expressão). Se a criança persistir, aperte a mão dela e, ao mesmo tempo, repita: "Não. Você tem de obedecer à mamãe". Se ela voltar ao mesmo objeto, você tem duas opções. Pode afastar a criança (e não remover o objeto) da tentação irresistível e levá-la até sua área de brincar, dizendo: "Brinque aqui. Estes são os seus brinquedos". Ou pode isolá-la num berço sem brinquedos. O tempo de isolamento vai variar, dependendo da idade da criança, da hora do dia e da natureza da infração. Os períodos de isolamento curtos não precisam passar de cinco minutos. Será tempo suficiente para a criança entender.

Se você usar essa técnica, seu filho começará a considerar o berço um lugar de castigo? Isso afetará seus cochilos ou o sono durante a noite? A resposta para as duas perguntas é "não". Seu filho é capaz de distinguir entre os períodos de isolamento no berço e os horários de dormir. Os fatores relacionados ao isolamento são diferentes daqueles que dizem respeito à hora de dormir. Os abraços e beijos associados à hora de dormir estão claramente ausentes na correção. A indicação do que está acontecendo é o comportamento dos pais, e não o berço em si.

Lutas por poder

Uma criança de dez meses pode envolver o pai ou a mãe numa luta por poder? Sim. Muitas fazem isso todos os dias! Uma luta por poder ocorre quando os pais não exercitam sua autoridade com sabedoria. Ou seja, deixam-se colocar numa situação em que precisam levar a melhor num conflito aparentemente pequeno. Haverá, inicialmente, alguns conflitos entre os pais e a criança em que a decisão dos pais deve prevalecer, mas não considere todo conflito uma batalha da qual você precisa sair vitorioso. Criar os filhos com sabedoria é melhor do que criá-los impondo poder.

Eis um exemplo real de como um conflito pequeno se transformou numa batalha por poder. O aquecedor portátil era um objeto proibido para Ryan. Quando ele o tocou, recebeu uma advertência verbal da mãe. Não fez caso e voltou a brincar com o objeto. Dessa vez, a mãe foi até Ryan, pegou sua mão, apertou-a e disse "não" em tom severo. Ele imediatamente tocou o aquecedor pela terceira vez. A repreensão e a infração se repetiram várias vezes. A mãe de Ryan se viu no meio de uma luta por poder com seu filho de dez meses. Se ela cedesse, Ryan aprenderia que vale a pena ser persistente e que a obediência é opcional. Se ela continuasse, os dois acabariam irritados.

O que ela poderia ter feito? Há um modo de neutralizar uma possível luta por poder e manter a integridade de sua liderança. Usando o exemplo acima, a mãe poderia simplesmente ter tomado Ryan no colo e o levado para o berço, ou colocado em outro cômodo depois da primeira advertência. Nos dois casos, poderia ter exercido sua autoridade sem se permitir ser envolvida naquela batalha. Tais providências teriam cumprido seu objetivo sem comprometer o respeito por sua autoridade e sem alterar o ambiente.

A rendição com dignidade

Um bebê de dez meses deve ter a liberdade de se render com dignidade. Muitas vezes, uma criança desafia os pais quando eles tornam a rendição uma opção intolerável. Em outras palavras, a criança persistirá no comportamento errado se os pais não lhe derem espaço para se render com dignidade. Isso pode acontecer e, de fato, acontece até com crianças de menos de um ano de idade.

Voltemos ao caso de Ryan e o aquecedor para mostrar a dinâmica dessa situação. Quando a mãe de Ryan enfrentou-o no mesmo nível, sua própria presença tornou a rendição à sua autoridade algo difícil, senão impossível. Se ela tivesse se afastado dele depois da segunda tentativa de corrigi-lo, ele provavelmente não teria mais mexido no aquecedor. A presença da mãe estendeu o conflito. Ao sair de perto, ela teria lhe dado um certo espaço para se render com dignidade, em vez de continuar a desafiá-la. Se ela precisasse voltar pela terceira vez, então a melhor opção teria sido remover Ryan de lá. Isso é criar um filho usando sabedoria, em vez do poder. Mesmo na correção, a dignidade de seu filho deve ser preservada. Corrija com benevolência.

O bebê e a casa

Restringir a liberdade da criança nos cômodos principais é uma forma de adaptar a casa ao bebê. "Adaptação" é um termo usado devida e indevidamente. Usado devidamente, significa adaptar a casa de modo a torná-la um ambiente seguro para o bebê que está começando a engatinhar e andar. Os pais precisam se preocupar com questões importantes de segurança. Você tem uma estante de livros que não está muito firme? Parafuse à parede. Há tomadas cheias de extensões? Livre-se desse perigo. Zele pela segurança no ambiente de seu bebê.

Usado indevidamente, o termo se refere, por exemplo, a reorganizar toda a sala de estar de modo a não precisar, em ocasião nenhuma, impor restrições à criança. Exceto pela remoção de objetos perigosos ou extremamente valiosos, não há necessidade de rearranjar sua casa; no entanto, *é necessário* ensinar a seu filho o que é proibido para ele. Quando a criança começar a mexer em objetos proibidos, você deve aplicar as conseqüências apropriadas.

Em geral, os pais que não exigem nada têm filhos que se aproveitam de tal incerteza e impõem a própria vontade, motivados por seus comportamentos compulsivos, e não por um raciocínio moral. Quando seus atos se tornam intoleráveis, os pais tentam reprimir a rebeldia, e os filhos desenvolvem sentimentos de desprezo por essa *fraqueza* ou incoerência. Os problemas de comportamento resultantes da falta de definição de limites normalmente são mais sérios do que os problemas gerados pelo extremo oposto da disciplina excessivamente rígida.

Uma palavra de ânimo: os pais que educam seus filhos de acordo com os princípios de rotina sugeridos em *Nana nenê* percebem que, ao longo dos primeiros quinze meses, as crianças se mostram muito mais propensas a obedecer às instruções do que as que não tiveram nenhuma rotina nas primeiras semanas de vida. Uma criança educada tendo como alvo a satisfação imediata de seus desejos no início da vida não está preparada para lidar com os conflitos que os limites criam mais tarde — e, normalmente, seus pais também não.

Resumo

A disciplina saudável é constituída de vários princípios e ações fundamentais — alguns de estímulo, outros de correção. Os estímulos para a criança até os quinze meses incluem afirmar, elogiar e recompensar. A correção consiste em repreender verbalmente, permitir que a criança sofra as conseqüências naturais, isolar, impor restrições, remover privilégios e causar desconforto, pressionando a mão. Cada uma dessas medidas tem um propósito, significado e lugar legítimo no processo geral de aprendizagem/ensino.

Perguntas para revisão

1. Qual é o propósito central da disciplina?

2. Qual é a definição de "insensatez"? O que é "infantilidade"?
3. Faça um resumo dos cinco princípios da instrução.
4. As quatro instruções restritivas no início do processo de ensino são "pare", "não", "não mexa" e "fique quieto". Para que o significado dessas palavras seja o mais completo, o que precisa acontecer?
5. No que se refere ao estabelecimento de limites, o que a palavra "não" representa?

7

Atividades para a hora de cochilar e dormir

COMO AFIRMAMOS em *Nana nenê*, onde há habilidade, também há uma capacidade natural. Seu bebê já demonstrou que possui tanto a habilidade quanto a capacidade natural de dormir durante a noite toda — uma habilidade que lhe foi ensinada. Este capítulo trata das atividades relacionadas ao sono para crianças até três anos de idade. Concluiremos o capítulo respondendo a várias perguntas relacionadas ao sono.

Os cochilos e o sono da noite

Ao contrário das rotinas de alimentação, o comportamento do bebê em relação ao sono varia bastante de uma criança para outra devido a diferenças individuais. Lembre-se de que rotinas estáveis de sono dependem de rotinas estáveis de alimentação. Quando as rotinas de alimentação do bebê são modificadas com certa freqüência, as rotinas de sono sofrerão mudanças equivalentes. Se o sono da noite for interrompido várias vezes (como acontece quando a família viaja), o comportamento do bebê durante o dia também sofrerá alterações drásticas.

O sono é parte importante da vida do bebê, e continuará sendo essencial no primeiro ano de vida dele. As crianças dessa faixa etária não apresentam diferenças significativas no tempo que passam dormindo. Isso pode mudar no segundo ano, mas, por ora, continue a estimular as rotinas saudáveis de sono.

Os cochilos

Os cochilos não são uma opção baseada nos desejos do bebê. Quando chega a hora de cochilar, o bebê deve ser colocado para dormir. É bem simples mesmo. A fim de desfrutar um desenvolvimento ideal, as crianças precisam de períodos de descanso durante o dia. A capacidade que uma criança de menos de três anos tem de dormir durante o dia depende, em grande parte, dos hábitos que a criança desenvolveu em seu primeiro ano. No entanto, como regra geral, os cochilos vão se assentando na rotina de forma natural. Não subestime a importância do cochilo de seu bebê. Mesmo que sua rotina mude e seu filho fique mais tempo acordado, os cochilos continuam sendo extremamente importantes.

Aos seis meses, um bebê educado segundo os princípios sugeridos em *Nana nenê* terá dois períodos de uma hora e meia a duas horas de sono durante o dia, mais uma soneca no fim da tarde. Aos oito meses, o bebê precisará apenas dos cochilos da manhã e da tarde. Este padrão deve continuar até a criança chegar à faixa de dezoito a vinte meses. Nessa idade, o cochilo da manhã é eliminado, ficando apenas o da tarde.

Para acordar de bom humor

As convicções dos pais acerca do sono influenciam a disposição do bebê ao despertar. Seu filho pode acordar bem disposto e contente se você seguir três regras básicas.

Primeira: São os pais, e não o bebê, que decidem a que horas o cochilo começa.

Segunda: São os pais, e não o bebê, que decidem a que horas o cochilo termina.

Terceira: Se o seu bebê acordar chorando ou de mau humor, é bem provável que não tenha dormido o suficiente. O bebê pode ter acordado porque precisa ser trocado, porque alguém fez barulho, porque está começando a ficar doente ou porque um dos braços ou pernas ficou enroscado nas grades do berço.

Se você deixar o bebê no berço, pode ser que ele reclame ou chore, mas provavelmente voltará a dormir (cerca de dez minutos depois) por mais uns trinta a quarenta minutos.

Quando o seu bebê tiver dormido o suficiente, você notará uma disposição alegre. Ele fará ruídos com a boca para que você saiba que é hora de pegá-lo. Também neste caso é importante ter equilíbrio. Haverá ocasiões em que o bebê precisará passar uns cinco minutos nos braços da mãe ou do pai para fazer a transição do período de sono para o período acordado. Esses podem ser alguns dos momentos mais preciosos que você terá ao longo da criação de seu filho.

O sono da noite

Aos seis meses, os padrões de sono do bebê durante a noite devem estar bem definidos e, normalmente, ele dormirá de dez a doze horas seguidas. Esses padrões não mudarão muito ao longo dos dezoito meses seguintes, com exceções curtas, como alguma doença ou o período de dentição.

Problemas comuns relacionados ao sono

Ao falarmos de problemas "comuns", estamos nos referindo a bebês educados nos primeiros meses de acordo com os princípios de *Nana nenê*, e não a bebês em geral. Os bebês que têm uma rotina não passam pelos problemas que os bebês alimentados de acordo com suas exigências costumam enfrentar. Como você descobriu ao ser bem-sucedido usando as sugestões de *Nana nenê*, para os bebês, os problemas relacionados ao sono têm muito mais a ver com *educação* do que com a *natureza* da criança.

O sono é uma função natural do corpo. A sonolência é o maior indicador de que o bebê precisa dormir. Nessa hora, vários objetos influenciam (com freqüência, negativamente) a transição para o sono. Alguns desses acessórios, como um cobertor especial ou um bichinho de pelúcia, normalmente são inofensivos, enquanto outros, como a mamadeira da noite, a chupeta e o polegar, podem ser usados de forma compulsiva. Normalmente, os problemas relacionados a esses acessórios não dizem respeito a uma dificuldade de a criança pegar no sono da primeira vez, mas de voltar a dormir sem o objeto específico.

A mamadeira da noite

Para as crianças mais velhas, o acessório mais comum que as ajuda a dormir é a mamadeira da noite. Muitas delas são condicionadas a ir para a cama com uma mamadeira. Elas não conseguem pegar no sono sem isso. Esse problema pode ser evitado se você nunca colocar o bebê para dormir com esse objeto do desejo. Isso não significa que seu bebê *nunca* vai tomar uma mamadeira no berço; por vezes, na hora do cochilo, o bebê, a mamadeira e o berço formarão uma aliança conveniente para uma mãe ocupada. Se essa prática não for habitual, não correrá o risco de se tornar compulsiva.

Cobertores

A fim de que seu filho não se apegue demais a um cobertor, considere a possibilidade de limitar o uso à cama ou ao berço, abrindo uma exceção ocasional para viagens mais longas de carro. Não deixe seu filho pequeno arrastar o cobertor consigo por toda parte. Apesar de um simples cobertor dar uma sensação de familiaridade, a verdadeira segurança é associada a relacionamentos, e não a objetos.

A chupeta

Há vários bons motivos para usar uma chupeta com seu recém-nascido. Mas aos seis meses de idade, o bebê praticamente não tem mais necessidade de realizar movimentos de sucção desassociados da alimentação. Seu filho precisa de uma chupeta para adormecer? Em caso afirmativo, é hora de começar a mudar este hábito.

A experiência e o bom senso mostram que é mais fácil se livrar da chupeta aos seis meses do que aos doze ou dezoito meses de idade. Aos seis meses, os pais podem simplesmente remover a chupeta. É bem provável que o bebê chore, mas não haverá nenhum dano emocional. Se a sua criança for mais velha, você pode prepará-la com alguns dias de antecedência, usando palavras de estímulo e, por fim, dizendo delicadamente: "Não tem mais chupeta". Outra sugestão é perfurar a parte de borracha com uma agulha, liberando o vácuo interno. É este vácuo que torna a chupeta agradável; sem isso, a criança perde o prazer e, com freqüência, acaba deixando a chupeta por sua própria iniciativa.

Chupar o dedo

Das duas técnicas de sucção não associadas à alimentação, a prática de chupar o polegar ou outro dedo é a mais difícil de controlar. A chupeta pode ser removida, mas o que fazer com os dedos do bebê? Como tantos hábitos dos adultos, os pais não conseguirão mudar o hábito de chupar o polegar de um dia para o outro. Trata-se de um processo gradativo que exige coerência e constância da parte dos pais. Para que a criança abandone esse hábito durante a noite, é preciso que o abandone durante o dia. Se o seu filho tem entre seis e dezoito meses, permita que ele chupe o dedo apenas na hora dos cochilos e do sono da noite. Quando você o vir com o polegar na boca, puxe o dedo delicadamente para fora, diga "agora não" e desvie a atenção da criança para algo apropriado, como um brinquedo.

A dentição e doenças em geral

A dentição pode perturbar o sono da noite. Quando um dente começa a romper a gengiva, inicia-se o processo chamado "dentição". Como no caso da icterícia, a dentição não é uma doença, mas um estado de saúde relacionado ao crescimento. Os primeiros dentes de seu bebê começarão a aparecer entre seis e oito meses. Aos seis meses, um entre três bebês tem um dente; aos nove meses, um bebê terá, em média, três dentes. Normalmente, a dentição não interfere na amamentação, pois a sucção é feita com a língua e o palato, e não com a gengiva.

O aparecimento de um dente pode ser acompanhado de mal-estar, irritação, inquietação, aumento da salivação e uma ligeira elevação da temperatura do corpo. Por mais incomodada que a criança pareça estar, os pais não devem considerar a dentição uma justificativa geral para comportamentos inadequados e mudanças drásticas na rotina do bebê.

É evidente que a dentição pode perturbar o sono durante a noite. Como acalmar seu bebê e, ao mesmo tempo, evitar a formação de hábitos inapropriados relacionados ao sono?

Em primeiro lugar, entenda que o processo de nascimento dos dentes não perturba o sono de todos os bebês (especialmente daqueles cuja alimentação é orientada pelos pais). Sem dúvida, é incômodo, mas não o suficiente para atrapalhar padrões firmemente estabelecidos de sono.

Em segundo lugar, entenda a natureza temporária desse processo. Um dente não leva semanas para nascer, mas cerca de dois dias, em geral. Além disso, há medicamentos que podem ajudar. As farmácias vendem anestésicos específicos na forma de creme ou gel para aplicar nas gengivas. Em geral, esse efeito anestésico é limitado, de modo que é comum os pediatras receitarem paracetamol para ajudar o bebê a relaxar e dormir.

Se o problema for sério e o bebê não conseguir dormir, pegue-o no colo e embale-o, mas não o leve para cama com você, nem dê de mamar. Dormir com os pais não fará a dor da gengiva passar, mas promoverá um hábito inadequado. Conforte o bebê quando isso for necessário, mas quando os dentes aparecerem, volte à rotina normal. Se seu filho continuar acordando durante a noite, será por hábito, e não por necessidade. O bebê deve reaprender a adormecer novamente sem a sua intervenção, e isso não levará muito tempo.

Você pode lidar com as doenças de maneira semelhante. Procure alterar a rotina o mínimo possível e seguir as recomendações do pediatra quanto ao uso de medicamentos. Normalmente, uma doença é acompanhada de perda de apetite.

Não force seu filho a se alimentar, mas certifique-se de mantê-lo bem hidratado conforme a indicação do médico. Mais uma vez, conforte o bebê quando for necessário, mas evite formar hábitos que precisarão ser corrigidos mais tarde. Depois de uma doença, o bebê pode levar até três dias para aceitar a realidade da sua antiga rotina. Assim, uma vez que a saúde do seu filho tenha sido restabelecida, retome a rotina.

A transição do berço para a cama

Normalmente, essa transição não ocorre no primeiro ano, mas apenas entre dezoito e vinte e quatro meses de idade. Para a criança que aprendeu a obediência imediata, essa transição é muito mais fácil. Caso os pais não exijam a obediência imediata da criança durante o dia, evidentemente suas instruções para a criança ficar na cama durante a noite não terão nenhum valor. A passagem do berço para a cama é uma concessão de liberdade. O que manterá a criança na cama? Só a instrução verbal dos pais.

O objetivo não é simplesmente colocar seu filho na cama, mas fazê-lo ficar lá a noite toda. A fim de tornar essa transição tranqüila e empolgante para a criança, procure incluí-la no processo de aquisição da cama nova. Quem sabe ela pode ajudar o pai a montar a cama, ou a mãe a escolher os lençóis? Aproveite o fim de semana para fazer essa mudança. A maioria dos pais está em casa no sábado de manhã para comemorar a primeira noite em que a criança dormiu na cama.

A princípio, não dê ao seu filho a liberdade de sair da cama sem sua permissão. Depois dos cochilos ou pela manhã, instrua-o a chamar você antes de sair da cama. Ensine uma frase comum, como "posso levantar, por favor?". Permitir que a criança tenha acesso verbal a você normalmente é suficiente para fazê-la ficar deitada. Por fim, ao fazer a transição, providencie uma grade lateral para a cama. As crianças se mexem mais durante o sono do que os adultos. As grades laterais servem tanto para garantir a segurança da criança quanto a tranqüilidade dos pais.

Perguntas sobre o sono do bebê até os quinze meses de idade

Depois de entrevistar vários pais e mães que seguiram as sugestões de *Nana nenê*, eis algumas das perguntas mais freqüentes em relação ao sono do bebê.

Nosso filho de seis meses sempre dormiu a noite inteira. Agora, começou a acordar e chorar. Por que isso está acontecendo? O que devemos fazer?

Trata-se de um problema relativamente comum, que pode ocorrer entre os cinco e os oito meses de idade. Há quatro motivos típicos que levam o bebê a acordar no meio da noite. O primeiro é *fome*. O fato de a criança estar acordando pode indicar que ela está pronta para começar a ingerir alimentos sólidos. O segundo é *não ter mais necessidade do terceiro cochilo* do dia (no fim da tarde). Pode ser hora de encurtar ou eliminar esse período de sono. É possível que, com os três cochilos do dia, o bebê esteja dormindo demais.

O terceiro motivo pelo qual o bebê acorda durante a noite é a *dentição*. Não é difícil identificar esse fator, uma vez que será acompanhado de irritabilidade durante o dia. O quarto motivo é relacionado a *mudanças na rotina do bebê durante o dia*. Ocorreu alguma mudança importante? A semana foi mais cheia de atividades do que o costume? Você está recebendo a visita de parentes que se sentem na obrigação de segurar o bebê no colo o dia todo? Acabou de chegar de uma viagem? Verifique a rotina do bebê.

Nosso bebê de seis meses está dormindo bem durante a noite, mas começou a acordar depois de 45 minutos nos cochilos durante o dia. Isso é normal? Devemos tirá-lo do berço?

Não é incomum bebês entre cinco e oito meses, cuja alimentação é orientada pelos pais, começarem a acordar na metade do período de cochilo e darem a impressão de que estão prontos para levantar. Se isso acontecer com seu bebê, não o tire do berço. Em vez disso, ensine-o a pegar no sono outra vez sozinho. Os bebês até quinze meses precisam dormir mais do que 45 minutos nos horários de cochilo.

Essa mudança no sono pode durar de três dias a três semanas. Em *Nana nenê*, tratamos da alternância entre o padrão de sono tranqüilo (PST) e o padrão de sono ativo (PSA). Quando seu filho sai do primeiro estado de sono relaxado, sua nova sensação de estar desperto é influenciada por barulhos ao seu redor. Pode ser o som de uma porta sendo fechada, do ventilador, de um ônibus do lado de fora ou uma série de outros ruídos conhecidos. Essa excitação parece estimular a curiosidade e, em vez de pegar no sono outra vez, o bebê acorda e chama você. Seu filho precisa aprender a adormecer outra vez e não deixar que a curiosidade controle os seus ciclos de sono. Em vez disso, o sono é que deve controlar sua curiosidade inoportuna. Você pode verificar se tudo está bem, mas o ideal é deixar o bebê no berço para que ele volte a dormir.

Infelizmente, haverá algum choro ao longo do processo de correção dessa situação. Não se trata de um choro de necessidade, mas de desejo. Como você leu em *Nana nenê*, não reaja ao choro do bebê automaticamente; antes, considere racionalmente o que é melhor para o bebê a longo prazo. Neste caso, a continuidade do ciclo ideal de sono é muito mais importante do que o sofrimento emocional e a inquietação que você sentirá ao ouvir o choro do bebê.

Nosso filho aprendeu a ficar em pé no berço, mas não sabe como voltar a se deitar e começa a chorar. O que devemos fazer?

Ficar em pé é metade de uma habilidade nova. A outra metade é aprender a sentar depois de se levantar. Você pode ajudar no processo, separando alguns minutos depois de cada cochilo para mostrar ao seu bebê como sentar. Segure as mãos de seu filho com firmeza e deslize-as para baixo, acompanhando as grades do berço e ajudando o bebê a sentar. Com o tempo, ele se acostumará com a sensação de se abaixar. Se você ajudá-lo cada vez que ele chorar, estará apenas adiando o processo. O bebê não precisará aprender a sentar se souber que você virá toda vez que ele chorar. Eis outra ocasião em que não reagir ao choro é a melhor resposta possível para o bem de seu filho.

Nosso filho perde a chupeta várias vezes durante a noite e começa a chorar. O que devemos fazer?

Um acessório para dormir é qualquer objeto necessário para ajudar seu filho a adormecer novamente quando ele acorda. Nesse caso, o acessório é a chupeta. Quanto mais você se levantar e colocar a chupeta de volta na boca do bebê, mais estará reforçando essa expectativa errada. É bem provável que seja hora de suspender o uso da chupeta.

Nossa filha se descobre durante a noite, acorda com frio e começa a chorar. O que devemos fazer?

Como as crianças se mexem durante o sono (algumas mais do que outras), é difícil mantê-las cobertas. Neste caso, você tem duas opções preventivas: vestir sua filha com roupas quentes antes de dormir ou colocar um aquecedor seguro no quarto dela. Uma consideração acerca desta última opção: ao usar o aquecedor, cuide para não colocá-lo muito perto do bebê na tentativa de compensar pelo frio da noite. Aquecer o bebê excessivamente é mais perigoso para a saúde dele do que deixá-lo com frio.

Meu marido e eu vamos passar duas semanas viajando com nosso filho pequeno. Como podemos manter sua rotina, especialmente em relação ao fuso horário?

Há dois aspectos em relação à sua viagem com o bebê: 1) *ele precisa aprender a dormir num lugar diferente do berço* e 2) *deve ajustar sua rotina a cada fuso horário diferente*. Ao se preparar para viajar, comece a colocar o bebê para cochilar no cercadinho. Algumas noites, coloque o cercadinho na sala de estar, na sala de televisão ou no seu quarto. Feche dois lados do cercadinho com toalhas ou cobertores e leve consigo na viagem. Ou então, ao chegar a seu destino, providencie toalhas ou cobertores para essa finalidade. Eles servem para fechar o ambiente onde a criança dormirá e para reduzir possíveis distrações.

Se o fuso horário for de uma hora a mais ou a menos, o ajuste da rotina será relativamente automático. Se, porém, você estiver viajando para um lugar com uma diferença de três ou quatro horas, ajuste a rotina de seu bebê ao chegar. Esse tipo de ajuste depende do sentido de sua viagem, se você está indo para oeste ou leste. No primeiro caso, o seu dia será mais longo; no segundo, mais curto. Se o dia for mais longo, acrescente uma mamada e, possivelmente, um cochilo curto. Se o dia for mais curto, faça uma média dos dois horários para definir a hora de dormir. Se, por exemplo, a diferença for de três horas a menos, coloque o bebê para dormir uma hora e meia mais tarde. Se você coloca o bebê para dormir às sete horas da noite em casa, ponha-o na cama às oito e meia. Nos dias subseqüentes, adiante a hora de dormir gradativamente até voltar ao horário normal, fazendo os ajustes necessários na rotina durante o dia.

Sugerimos que você limite a quantidade de bebidas e alimentos com açúcar na dieta do bebê enquanto estiver viajando. Uma viagem longa é particularmente inapropriada para acrescentar açúcar à alimentação do bebê, e lanches adicionais podem atrapalhar a fome a ponto de afetar a estabilidade da digestão. As alterações no ciclo de fome do bebê com freqüência afetam os ciclos de sono e tempo acordado, algo que nem você nem seu bebê querem que aconteça enquanto estão viajando. Em geral, seu bebê, cuja alimentação é orientada pelos pais, não dará trabalho durante a viagem, e os poucos problemas eventuais serão temporários.

Meu filho de sete meses passa cerca de cinco a dez minutos inquieto antes de adormecer na hora do cochilo. Será que ele vai superar isso?

Sim. Para alguns bebês essa inquietação é a única forma de aliviar as energias acumuladas. Desde que ele esteja cochilando bem, não se preocupe com esse período curto de inquietação, que provavelmente não durará muito. Portanto, não mude nada. Apenas continue tendo paciência com seu filho.

Resumo

Conforme seu bebê cresce e passa pelas fases da primeira infância, precisa de cada vez menos horas de sono, mas a necessidade de dormir bem não muda. Os problemas que podem surgir no comportamento da criança em relação ao sono são pequenos em comparação com os grandes passos que você deu na estabilização do sono até aqui. Sua mentalidade proativa na educação de seu filho e seu bom senso o ajudarão a encarar quaisquer desafios que porventura surjam nessa área.

Além do nana nenê *lhe deu uma compreensão maior do mundo extraordinário de seu bebê. Ao aplicar os princípios apresentados neste livro, sem dúvida você observou que seu filho já progrediu em vários aspectos importantes. Não há nada de errado em reconhecer o seu papel no processo de desenvolvimento adequado de seu filho. Você fez um ótimo trabalho. Agora é só manter.*

Perguntas para revisão

1. Quais são as três regras para o seu bebê acordar de bom humor?
2. Em que sentido os "acessórios para dormir" são problemáticos?
3. Na transição do berço para a cama, qual é a única coisa que impedirá seu filho de se levantar e sair da cama sozinho?

4. Relacione quatro motivos pelos quais os bebês podem acordar durante a noite nos primeiros doze meses.
5. Por que alguns bebês acordam mais cedo durante o horário de cochilar? O que você deve fazer?

Apêndice A

O desenvolvimento da linguagem na criança

QUALQUER PESSOA QUE TENTE aprender uma nova língua sabe que é uma tarefa difícil, e que leva anos para adquirir fluência. No entanto, os bebês vêm equipados com uma capacidade extraordinária de obter fluência total numa língua em cerca de três anos, quase sem necessidade de prática e de esforço consciente. Os pais são os modelos para o desenvolvimento da criança, um princípio aplicável também à área do desenvolvimento da linguagem. A seguir, algumas idéias que podem ser úteis para estimular o desenvolvimento da linguagem de seu filho.

Não é preciso usar o tatibitate. É extremamente tentador simplificar o que você está dizendo para que seu bebê entenda. Por exemplo: "Mexê não-não". As crianças são excelentes decodificadoras. Até um bebê de seis meses, ao ouvir você dizer "você não pode mexer nisso", entenderá o tom de sua voz, as expressões faciais e seus gestos. Por volta de doze a catorze meses, entenderá o suficiente das palavras e de entonação para saber exatamente o que você está dizendo. Elas também são excelentes imitadoras. Por que não dar a seu filho a oportunidade de aprender as estruturas gramaticais corretas?

Fale sobre tudo. Isso dará ao seu filho a oportunidade de fazer a associação entre palavras e conceitos. A princípio, ele não entenderá todas as palavras, mas você o estará expondo a uma variedade de assuntos. Quando levar seu filho ao supermercado, fale sobre aquilo que estão comprando, o que estão vendo em cada corredor e aonde vão depois. Uma criança de um ano ou menos não entende tudo, mas você estará formando uma base ampla para o futuro.

Leia, leia, leia. Ler livros para o seu filho é uma excelente forma de apresentá-lo a palavras e conceitos.

Quando seu filho começar a falar, procure expandir aquilo que ele diz. Se, por exemplo, você estiver dando banho em sua filha e ela disser "barco, baixo", você pode responder dizendo: "É, o barco foi para baixo". Assim você não apenas estará indicando que ouviu, mas também mostrará a maneira correta de formar uma frase completa. Por mais bonitinho que seja, você não vai querer que seu filho comece a Educação Infantil falando como se fosse um bebê.

Acima de tudo, relaxe. Salvo raras exceções, as crianças adquirem a linguagem apesar de qualquer coisa adversa que os pais tenham feito ou pensem ter feito.

O desenvolvimento da linguagem na criança

Apresentamos a seguir um esboço dos estágios do desenvolvimento da linguagem do bebê.

É importante lembrar que cada criança se desenvolve em seu próprio ritmo e que as idades apresentadas aqui são apenas aproximadas.

Do nascimento aos três meses. Uma voz conhecida e amigável conforta o bebê. Ele sorri para a mãe e para outras pessoas conhecidas. Chora de maneiras diferentes quando está com fome, precisa ser trocado ou está cansado. O bebê faz ruídos simples com a boca.

De dois a quatro meses. Nessa idade, o bebê começa a interagir com seu ambiente e entender a inflexão vocal e a intensidade daquilo que é dito. Consegue juntar vários sons ("badabadaba") e faz bolhas de saliva ou papinha.

De quatro a seis meses. Nessa idade, o bebê começa a responder ao ambiente dele e a entender inflexões vocais e a intensidade das formas de expressão. Ele consegue juntar diferentes sons e emitir outros por meio da vibração da língua entre os dentes.

De seis a nove meses. O bebê presta mais atenção naquilo que é dito e entende palavras como "não", "tchau" e o seu nome. Começa a imitar sons e ações de outros.

De nove a doze meses. Começa a seguir instruções simples, do tipo "não mexa" e "venha aqui", e mexe a cabeça para indicar "sim" ou "não". O bebê fala a primeira palavra tão esperada e começa a "tagarelar" — vocaliza conjuntos de sons com entonação, dando-lhes tom de pergunta, afirmação ou ordem.

Dos doze aos dezoito meses. Reconhece objetos e pessoas e identifica partes do corpo. Nesse período, a criança vai acrescentando palavras ao vocabulário e começa a formar frases curtas.

Dos dezoito aos vinte e quatro meses. Identifica corretamente um número cada vez maior de objetos quando alguém lhe pede e ouve histórias simples.

Não se preocupe caso seu filho esteja atrasado um mês ou dois em qualquer uma das habilidades de linguagem mencionadas acima; as crianças amadurecem em ritmos diferentes. Se o seu filho ainda não está falando ao completar dois anos de idade, ou se, com um ano de idade, parece não responder ao que você diz, peça a seu pediatra que encaminhe a criança aos profissionais apropriados.

Apêndice B

Dicas para ensinar seu filho a usar o *troninho*

EM TERMOS GERAIS, em nossa sociedade o uso do vaso sanitário é ensinado a partir de um ano de idade ou simplesmente não é ensinado. Os dois extremos são baseados em filosofias de vida específicas — o behaviorismo e o neofreudismo. Como fica evidente em outros aspectos da educação dos filhos, sabemos que uma criança pequena não tem a capacidade de decidir sempre o que é melhor para ela, nem de exercitar autocontrole. Por isso, o controle é feito pelos pais, que possuem mais conhecimento. Eis algumas sugestões baseadas no simples bom senso que podem ajudar você a ensinar seu filho a deixar as fraldas.

Sinais de que a criança está pronta

A idade em que a criança está pronta para deixar as fraldas varia, mas os pais podem observar alguns sinais que indicarão quando seu filho está preparado para começar:

- Entre o 18º e o 24º mês, você pode observar que seu filho não molha as fraldas durante as horas de cochilo ou outros períodos de duas horas. Além disso, pode ser que ele esteja acordando seco ou quase seco pela manhã. Esses sinais indicam que a bexiga já é capaz de reter a urina por duas horas ou mais.

- Seu filho começa a parar no meio de uma brincadeira ou outra atividade ao evacuar ou avisa que evacuou ou que a fralda está molhada.
- Seu filho expressa o desejo de imitar os pais ou irmãos no uso do vaso sanitário.

Ao observar esses sinais em várias ocasiões, você deve:

- Comprar um peniquinho e colocá-lo no banheiro para que seu filho se familiarize com ele.
- Como em outras áreas da educação de seu filho, desenvolver uma rotina.
- Colocar seu filho no peniquinho (informe o que vai acontecer; não pergunte se ele quer ou não): a) depois de cada refeição; b) antes dos cochilos durante o dia e antes de dormir à noite; e c) ao acordar de manhã ou depois dos cochilos.

Relaxe, seja paciente e dê tempo ao seu filho. Coloque fraldas no bebê antes da hora de cochilar e antes da hora de dormir à noite até que esteja sempre acordando seco. A capacidade de reter a urina durante a noite varia de uma criança para outra, mas, para a maioria das crianças, não é um processo demorado.

Tendo em vista que o uso do vaso sanitário é uma habilidade que a criança adquire, pode-se usar incentivos durante o processo (barrinhas de cereais e frutas, uvas-passas ou alguma outra recompensa apropriada para o seu filho). Muitas crianças aprendem a controlar a urina antes de controlar a evacuação. Porém, uma vez que você sabe que seu filho é capaz de usar o vaso sanitário, mas se recusa, é possível que se trate de uma questão de disciplina. Assim como na transição do berço para a cama, é sua voz de comando que deve manter seu filho sentado no peniquinho.

Como regra geral, os pais que ensinam ao filho a obediência imediata têm menos problemas de tirá-lo das fraldas. Se o problema persistir até os dois anos e meio de idade, responsabilize a criança pelo acidente. Para alguns pais, uma abordagem útil é fazer a criança ajudar a se limpar e a colocar as roupas que ela sujou para lavar.

Quando você iniciar o processo de fazer seu filho abandonar as fraldas, não volte atrás. Os pais que começam e depois voltam atrás só estão transmitindo à criança uma sensação de incerteza. Quanto mais velha a criança vai ficando, mais ela percebe que você não tem controle sobre esse processo, o que pode, então, se tornar uma questão de disciplina. Também nesse caso, seja paciente e lembre-se de que cada criança é singular, e o processo leva algum tempo.

Uma observação final: se o seu filho ainda está tomando mamadeira, não tem uma rotina durante o dia, não dorme à noite sem interrupções, não tem horários definidos para cochilar durante o dia, dorme com você ou não obedece a instruções, não será fácil ensiná-lo a usar o vaso sanitário. Você deve tratar dessas questões antes.

Caro leitor

Desejamos que este livro tenha correspondido a suas expectativas.
Para continuar a atendê-lo sempre melhor, compartilhe suas impressões de leitura desta obra escrevendo para:
opiniao-do-leitor@mundocristao.com.br

Cadastre-se para receber nossos informativos no *site*:
www.mundocristao.com.br

Acesse nosso *blog*:
www.mundocristao.com.br/blog

Editora Mundo Cristão
Rua Antonio Carlos Tacconi, 79
04810-020 — São Paulo, SP

Este livro foi composto por Letras Reformadas, em ACaslon Regular, e impresso pela Imprensa da Fé em papel *offset* 75 g/m^2, com filmes fornecidos pela MJ Serviços de Composição.